Michael Pecha
Márcia Novaes

Portuguese/English edition

# BRASIL

## Sua História, Seus Contrastes e Suas Belezas
*Its History, Its Contrasts and Its Beauties*

CLIO
EDITORA

Título original Brasil: sua história,
seus contrastes e suas belezas
Copyright©2001 by Michael Pecha

Fotos: Michael Pecha
Dr. Fritz Trupp: 96 - 100
Mag. art. Eva Völkel: 81, 90, 110, 138
PIX, Vienna: 84

Texto Márcia Novaes
Revisão Ana Luiza Couto
Tradução para o inglês Raquel Peev dos Santos
Editoração CompLaser Studio Gráfico

Direitos para a publicação no Brasil adquiridos pela Clio Editora Ltda.
Rua Gomes de Carvalho, 229 – Vila Olímpia
CEP 04547-001 – São Paulo - SP
Fone (11) 3045-9724 – Fax (11) 3045-9856
email: clioedit@osite.com.br

ISBN 85-86234-33-8
Impresso na Áustria

Printed and bound in Austria

## O Descobrimento

Em sua primeira expedição comercial, Pedro Álvares Cabral parte de Portugal com destino às Índias, com uma grande e bem organizada frota de caravelas. De propósito ou não, por um erro de cálculo ou pura premeditação, em 22 de abril de 1500 ele descobre o que chamou de Ilha de Vera Cruz, depois Terra de Santa Cruz e, finalmente Brasil.

## A Origem do Nome Brasil

Portugal manda várias expedições de reconhecimento ao litoral brasileiro em busca de possíveis riquezas e encontra apenas grande quantidade de pau-brasil, uma madeira que era importada do Oriente e de grande valor comercial.

Interessado em povoar e defender a nova terra, Portugal firma um acordo com os mercadores portugueses comprometendo-se a não importar mais o pau-brasil do Oriente. Em troca, os mercadores se aventurariam a vir à nova terra explorar o pau-brasil, pagando, com essa exploração, impostos à Coroa.

Do pau-brasil se extraía uma tintura vermelha para os tecidos. Vermelho cor de fogo. Cor de brasa.

A grande quantidade de pau-brasil desperta o interesse de outros países e aventureiros de todas as partes começam a chegar ao litoral que, cada vez mais, é conhecido pelo nome da madeira ambicionada: Brasil.

## A Colonização

A cada navio que chega com o intuito de explorar o pau-brasil, muitos europeus ficam. Os mais espertos e adaptáveis se integram logo às tribos dominantes e assim sobrevivem, aprendendo com os índios a distinguir as plantas comestíveis, as boas madeiras, a arte da caça e da pesca e o cultivo da terra.

O que antes era um jogo de interesses acaba se tornando um método de ocupação. Índias são oferecidas em casamento aos brancos, gerando os primeiros brasileiros. Sobre eles se basearia a colonização.

Portugal, sem recursos financeiros ou humanos para a ocupação desse

## The Discovery

*In his first commercial expedition, Pedro Alvares Cabral left Portugal for the Indies with a great and well-organized shipping of caravelas. Purposely or not, by a mistake in calculation or by sheer premeditation, on April 22nd, 1500, he discovered what he called Vera Cruz Island and later Land of Santa Cruz and finally Brazil.*

## The Origin of Brazil's Name

*Portugal sends off many recognition expeditions to the Brazilian coast aiming for possible riches and finds only large amounts of brazilwood, a wood that was imported from the Orient, having large commercial value. With the interest to populate and defend the new land, Portugal firms an agreement with the Portuguese merchants, making a commitment to not import anymore brazilwood from the Orient. In exchange, the merchants would adventure themselves to come to the new land and explore the brazilwood, paying, with this exploration, taxes to the Crown. From the brazilwood, a red dye for fabrics was extracted. Fiery red. Ember red.*

*The large quantity of brazilwood awakes the interest of other countries, and adventurers from all over begin to arrive at the coast, which becomes more and more known by the name of the desired wood: Brazil.*

## The Colonization

*With each ship arriving with the intention of exploring the brazilwood, many Europeans remain. Those that are smarter and more adaptable integrate themselves fast to the dominant tribes and thus survive, learning with the natives to distinguish the edible plants, the good wood, the art of hunting and fishing, and farming.*

*That which used to be a game of interests turns into a method of occupation. Female Indians are offered in marriage to the whites, generating the first Brazilians. The colonization would be based on them. Portugal, lacking financial and human resources to occupy this new and immense territory called Brazil, implements a system called Capitanias*

novo e imenso território chamado Brasil, implanta um sistema chamado de Capitanias Hereditárias. Um sistema que consistia em dividir o Brasil de então em quinze faixas horizontais de terra, doando-as a quem quisesse explorá-las por conta própria.

Deste sistema apenas duas Capitanias obtêm sucesso, graças a acordos e alianças entre portugueses e índios: a capitania de São Vicente, em São Paulo, e a Capitania de Pernambuco. Em 1549 as terras das demais Capitanias que não deram certo são retomadas e é instalado um novo sistema de governo: o Governo Geral.

Tomé de Souza é nomeado primeiro Governador Geral. E ele traz para essa nova tentativa de colonização a Companhia de Jesus, que tem como principal objetivo transformar índios hostis em bons selvagens.

Com Tomé de Souza chegam também cerca de mil e quinhentas pessoas. Destes mil e quinhentos novos habitantes, quatrocentos são criminosos vindos ao Brasil como condenação para cumprir pena de degredo. Assim começa a surgir e a ser construída a cidade de Salvador.

## O Início da Produção de Açúcar e a Escravidão

Quando o pau-brasil começa a rarear no litoral, os colonos portugueses, já detentores da técnica da produção do açúcar, tentam a cultura da cana. O açúcar, em pleno século XVI, era uma mercadoria de grande valor. Para se produzir o açúcar, no entanto, eram necessárias, além da terra e do clima favoráveis, mãos que trabalhassem.

Essa necessidade de mão-de-obra torna-se um grande problema. Importar escravos da África foi a solução emergencial.

Depois de Tomé de Souza ainda houve dois Governadores Gerais: Duarte da Costa e Mem de Sá, cujo sobrinho, Estácio de Sá, fundou em 1565 a cidade de São Sebastião do Rio de Janeiro.

Em 1572 os engenhos do Nordeste, em pleno funcionamento, fazem prosperar a civilização do açúcar. Salvador e Olinda se tornam as cidades mais ricas da colônia, onde já se cria uma nova população, filhos da nova terra, frutos do cruzamento entre o branco e o negro.

Em São Paulo prossegue o cruzamento entre brancos e índias, dividindo

Hereditárias (Hereditary Captaincies, or fiefs). A system which consisted in a division of that Brazil in fifteen horizontal strips of land, donating them to who would explore them on their own.

Only two Captaincies in this system obtain success, thanks to the agreements and alliances made between the Portuguese and the Indians: the Sao Vicente Captaincy, in Sao Paulo, and the Pernambuco Captaincy. In 1549 the land of the other Captaincies that did not succeed are retaken and a new government system is installed: the General Government.

Tome de Souza is the first General Governor, who brings to this new colonization attempt the Jesus Company, which arrives from Portugal with the hard mission to transform the hostile Indians in good savages. Along with Tome de Souza, around fifteen hundred people also arrive. From these fifteen hundred new inhabitants, four hundred are criminals coming to Brazil as a condemnation to pay for the banishment sentence. Thus, the city of Salvador begins to emerge and be constructed.

## The Beginning of Sugar Production and Slavery

When the brazilwood begins to diminish on the coast, the Portuguese colonists, already holders of a sugar production technique, try the culture of sugar cane. Sugar, on the 16th century, was a merchandise of a great value. To produce sugar, however, it was necessary, besides the land and the favorable climate, hands that would work.

This need for manpower becomes a big problem. To import slaves from Africa was an emergency solution. After Tome de Souza there were still two other General Governors: Duarte da Costa and Mem de Sa, whose nephew, Estacio de Sa, founded in 1565 the city of Sao Sebastiao of Rio de Janeiro.

In 1572 the Northeastern sugar mills, in full operation, make the sugar civilization to prosper. Salvador and Olinda become the richest cities of the Colony, where a new population is born, sons of the new land, descendants of the mixture between the white and the black.

In Sao Paulo the mingling between the whites and the Indians proceeds, thus dividing the administration of the Brazilian territory in two parts:

assim a administração do território brasileiro em dois: o Nordeste e o Sul, com uma sede administrativa em Salvador e outra no Rio de Janeiro.

## Sob o Domínio Espanhol

Em 1578, D. Sebastião, o jovem rei de Portugal, organiza uma grande expedição contra os mouros, no norte da África. Um verdadeiro desastre que acarreta, além de inúmeras mortes, o desaparecimento do próprio Rei. A Coroa passa então para um tio que, velho e doente, logo morreria. Filipe II, rei da Espanha, acaba herdando o trono português em 1580, acumulando assim duas Coroas em um só Reinado.

Com o domínio espanhol em terras brasileiras gera-se um conflito com graves conseqüências para o Brasil. Como já se sabe, o Brasil produzia açúcar para ser distribuído e vendido pela Europa, porém seus grandes distribuidores eram holandeses que, à época, estavam em guerra com a Espanha.

## A Invasão Holandesa

Em 1620, a Holanda cria a Cia. das Índias Ocidentais na intenção de explorar possessões portuguesas e espanholas.

Em 1624, a Holanda desembarca em Salvador com um exército de 1.700 homens e toma conta da cidade, sendo, no entanto, derrotada e expulsa em março de 1625. Em fevereiro de 1630, a Holanda volta a atacar com uma esquadra de 64 navios e 3.800 soldados e conquista Olinda e Recife. Em 1637 os holandeses conquistam os portos da África de onde saem os escravos para o Brasil, consolidando assim o controle do Nordeste. Maurício de Nassau desembarca nesse mesmo ano, acompanhado de pintores, arquitetos, escritores e naturalistas.

Em 1640 os portugueses aclamam D. João IV como rei, na esperança de um rompimento com a Espanha. Para isso, D. João IV firma uma trégua com os holandeses, uma vez que estes distribuíam o açúcar brasileiro. Quatro anos mais tarde, firma sua posição de país independente da Espanha e se volta à retomada dos territórios coloniais.

Maurício de Nassau, no entanto, reforça seu domínio com empréstimos e

---

the Northeast and the South, with a main administrative headquarters in Salvador and other in Rio de Janeiro.

## Under the Spanish Domain

In 1578, D. Sebastiao, the young king of Portugal, organizes a great expedition against the Moorish, on the north of Africa. A true disaster that, besides leading to several deaths, causes the disappearing of the King himself. The Crown is given then to his uncle who, old and sick, would soon die. Filipe II, king of Spain, inherits the Portuguese grown in 1580, thus accumulating two Crowns in one Reign.

With the Spanish domain, a conflict is generated in Brazilian lands with serious consequences to Brazil. As it is known, Brazil produced sugar to be distributed and sold through Europe, although its biggest distributors were the Dutch which, at the time, were in war with Spain.

## The Dutch Invasion

In 1620, the Netherlands creates the Dutch West India Company with the intention of exploring Portuguese and Spanish possessions.

In 1624 the Dutch disembark in Salvador with an army of 1,700 men and take over the city being, however, defeated and expelled in March of 1625. In February of 1630 the Dutch attack again with a fleet of 64 ships and 3,800 soldiers and conquer Olinda and Recife.

In 1637 the Dutch conquer the African ports from where the slaves were coming to Brazil thus consolidating the control of the Northeast. Mauricio de Nassau (Johan Maurits, Count von Nassau-Siegen) disembarks in this same year, accompanied by painters, architects, writers and naturalists.

In 1640 the Portuguese acclaim D. Joao IV as king, hoping to brake with Spain. For this, D. Joao IV firms an armistice with the Dutch, since they distributed the Brazilian sugar. Four years later, they confirm their position of an independent country from Spain and return to overtake the colonial territories.

Mauricio de Nassau, however, reinforces his control with loans and

escravos, preocupando os holandeses de Amsterdam que, em vez de dinheiro, acumulam apenas títulos de dívidas dos colonos brasileiros. Assim, Maurício de Nassau é convocado a voltar para a Holanda em 1644 e as dívidas contraídas pelos colonos são cobradas à taxa de juros elevada. Aumentam também os preços das mercadorias importadas e dos escravos, o que gera uma reação que culminaria na expulsão dos holandeses em 1654.

Portugal, recém-saído de uma guerra, tendo a Espanha como uma ameaça constante e a Holanda como inimiga, se volta à Inglaterra. Assina um tratado no qual permite a entrada de navios estrangeiros nos portos brasileiros para negócios com a Colônia que, revoltada pelo interesse renovado de Portugal em explorá-la e dominá-la mais fortemente, impõe uma certa resistência.

Portugal, ciente da iminente decadência do sistema açucareiro, uma vez que a concorrência holandesa no mercado mundial de açúcar já desestabilizava a produção nordestina, passa a incentivar a penetração e conquista do interior, prometendo privilégios e honrarias aos futuros descobridores de minas e pedras preciosas.

**A Descoberta do Ouro e das Pedras Preciosas**

Começam a surgir notícias sobre descobertas de ouro, assim que é publicado, em 1694, um decreto dando direito de posse aos descobridores de minas.

Motivado pela procura de mão-de-obra, pelos enriquecidos pelo ouro, surge o tráfico de escravos. Os traficantes logo se tornam poderosos, chegando ao final do século XVIII como os homens mais ricos da Colônia.

Em 1718 novas minas de ouro são descobertas na Bahia e mais tarde em Goiás. Diamantes são encontrados em Minas Gerais.

O ouro muda a cara do território brasileiro, interliga regiões, faz surgir vilas e roças permanentes. Um novo padrão de vida se forma. As cidades ganham importância.

Em 1750 um tratado entre Portugal e Espanha, chamado de Tratado de

---

*slaves, worrying the Dutch of Amsterdam that, instead of money, accumulate only debt bonds of the Brazilian colonists. Thus, Mauricio de Nassau is ordered to return to the Netherlands in 1644 and the debts contracted by the colonists are collected and the tax rates increased. The prices of imported merchandise and slaves are also increased, which generates a reaction that would culminate with the expelling of the Dutch in 1654.*

*Portugal, recently coming out of a war, having Spain as a constant threat and the Netherlands as an enemy, turns to England. It signs a treaty allowing the entry of foreign ships in Brazilian ports for business with the Colony which, outraged by the renewed interest of Portugal in exploring and dominating it more strongly, imposes a certain resistance.*

*Portugal, conscious of the eminent decay of the sugar business system, since the Dutch competition in the sugar world market already made the northeastern production unstable, starts to encourage the inland penetration and conquering, promising privileges and honors to the future discoverers of mines and precious stones.*

***Discovery of Gold and Precious Stones***

*News start to come about the discovery of gold as soon as a decree giving the rights of possession to the mine discoverer is published in 1694.*

*Encouraged by the search of manpower by the gold enriched people, slavery traffic emerges. The dealers soon became powerful coming to the end of the 18th century as the richest men of the Colony.*

*In 1718 new gold mines are discovered in Bahia, and later in Goias. Diamonds are found in Minas Gerais.*

*Portugal separates, in 1709, the captaincies of Minas Gerais and São Paulo and, in 1744, Goias and, at last, in 1748, Mato Grosso, to better administrate the quick Colony growth.*

*The gold changes the face of the Brazilian territory, interconnects regions, makes villages to emerge and permanent hinterland plantation. A new life style is formed. The cities gain importance.*

*In 1750 a treaty called The Madrid Treaty, between Portugal and Spain,*

Madri, fez com que o mapa do Brasil ficasse praticamente o que é hoje, estendendo assim, legalmente, seus limites primitivos.

Com o acúmulo de riquezas em Minas Gerais, grandes construções foram erigidas, transformando acampamentos em cidades, levando à formação de uma elite social. Essa elite social passa a adquirir terras e a pleitear o enobrecimento que o proprietário rural tinha no século XVIII. Foi sendo então criada uma elite rural que absorvia os cargos públicos.

## Cresce o Sentimento Nacionalista

Ao explorar a colônia, Portugal ao mesmo tempo a desenvolve, aumentando sua população, ampliando suas áreas produtivas e diversificando sua produção, possibilitando uma certa ascensão social e política aos colonos brasileiros.

Incentiva-se a exploração de produtos agrícolas pelo método da plantation (monoculturas em grandes extensões de terra utilizando mão-de-obra escrava) e assim são plantados e exportados tabaco e algodão na região Nordeste e a agropecuária no Sul é desenvolvida, mas, com o declínio da mineração, também decai.

Entre 1707 e 1709 surgem conflitos entre paulistas e forasteiros (portugueses em sua maioria) em que todos lutam pelo direito da exploração das terras auríferas (Guerra dos Emboabas).

Em 1710, proprietários rurais de Olinda e comerciantes (portugueses de Recife) travam a Guerra dos Mascates.

Em 1720, foram criadas as Casas de Fundição em Minas Gerais, onde se faria um maior controle da extração do ouro, fundindo-o e moldando-o em barras de tamanho e peso oficiais, além de selá-lo com o selo real, o que culmina, por parte dos mineradores, na revolta de Vila Rica.

## Os Impostos e a Primeira Tentativa de Independência

Em Portugal o sucessor de D. João V, D. José, investia o ouro que recebia da colônia em melhorias na frágil economia do reino.

Em 1755, no entanto, um terremoto destrói quase toda a cidade de Lisboa, e pelo menos 15 mil pessoas morrem.

*made Brazil's map to practically become what it is today, thus expanding its primitive limits, legally.*

*With the accumulation of riches in Minas Gerais, large buildings were raised, transforming camps into cities, leading to the formation of a high social class. This high social class begins to acquire land and to claim for the nobleness that the rural owner had in the 18th century. A high rural social class began thus to be created, which absorbed the public functions.*

### The Nationalist Sentiment Grows

*When exploring the colony, Portugal at the same time develops it, increasing its population, expanding its productive areas and diversifying its production, allowing a certain social and political ascension to the Brazilian colonists.*

*Agricultural products are encouraged to be explored under the farming method (monocultures in large extension of land using slavery work) and thus tobacco and cotton are cultivated and exported to the Northeast region and the agriculture and cattle breeding are developed in the South, but with the decline of mining, it also decays.*

*Between 1707 and 1709, conflicts between "paulistas" (Sao Paulo's native) and foreigners (mostly Portuguese) arise, where everyone fights for the right to explore the gold-bearing lands (Emboabas War).*

*In 1710 rural owners of Olinda and merchants (the Portuguese of Recife) engage into the Mascates War.*

*In 1720, the creation of the Foundry Houses in Minas Gerais, where a bigger control of gold extraction would be made, casting and molding in official size and weight blocks, besides stamping it with the crown seal, leads to the Vila Rica Rebellion by the miners.*

### Taxes and the First Attempts for Independence

*The successor of D. Joao V in Portugal, D. Jose, invested the gold that came from the Colony in improvements on the reign's fragile economy.*

*In 1755, though, an earthquake destroyed almost the whole city of*

Ante a necessidade de reerguer a economia de Portugal e refazer uma Lisboa praticamente destruída, o Marquês de Pombal, administrador do Reino, aumenta os impostos e lança novos; reforça o exclusivismo colonial, prejudicando assim a atividade econômica no Brasil. Persegue inimigos, exilando e matando adversários, e expulsa os jesuítas do Brasil e de Portugal.

Em 1762 a colônia é elevada a Vice-Reinado, e sua capital transferida de Salvador para o Rio de Janeiro. Com essa mudança a cidade do Rio de Janeiro recebe melhoras e reformas.

Em 1777 morre D. José e D. Maria sobe ao trono. Aumenta a pressão sobre a colônia.

Em 1776, os EUA se tornam independentes da Inglaterra e em 1789 eclode, com sucesso, a Revolução Francesa, fazendo que a pressão de Portugal sobre o Brasil aumentasse consideravelmente. Em 1788, o novo governador de Minas Gerais, Luís da Cunha Meneses, institui a "Derrama" para completar a cota de impostos sobre o ouro que as minas não conseguem mais produzir.

Desde 1763 o valor exigido pela Coroa como imposto sobre o ouro não vinha sendo alcançado. As minas não produzem o suficiente. Perseguições, chantagens e prisões são utilizadas como métodos coercitivos para pressionar a cobrança de impostos.

Começa a se fomentar um movimento revolucionário que ambicionava a independência do Brasil em relação a Portugal.

A revolta se daria no dia da Derrama se um dos conspiradores – Joaquim Silvério dos Reis – não tivesse traído seus amigos e seu movimento. Muitos dos integrantes da chamada Inconfidência Mineira são condenados à morte e depois têm suas sentenças comutadas em pena de exílio.

Apenas Joaquim José da Silva Xavier – o Tiradentes – foi enforcado e esquartejado em 21 de abril de 1792.

**A Corte Portuguesa no Brasil**

Napoleão toma o poder na França dominando boa parte da Europa.

*Lisbon, where at least 15,000 persons died.*

*Before the need to rebuild Portugal's economy and reconstruct a practically destroyed Lisbon, the Marquis of Pombal, the Reign's administrator, increases the taxes and launches new ones; he reinforces the colonial's exclusiveness, thus damaging the economical activities in Brazil. He chases the enemies, exiling and killing the adversaries, and expels the Jesuits of Brazil and of Portugal.*

*In 1762 the colony is upgraded to a Vice-Reign, and its capital transferred from Salvador to Rio de Janeiro. With this change the city of Rio de Janeiro goes through improvements and reforms.*

*In 1777 D. Jose dies and D. Maria receives the crown. The pressure on the colony Increases.*

*In 1776, the United States becomes independent from England and in 1789 the French Revolution bursts with success, making the pressure of Portugal on Brazil to increase considerably. In 1788, the new Minas Gerais Governor, Luis da Cunha Meneses, instituted the "Derrama" (excessive tribute) in order to complete the taxes share on the gold that the mines cannot produce anymore.*

*Since 1763 the amount demanded by the Crown as taxes on the gold was not being reached. The mines do not produce enough. Persecutions, blackmailing and imprisonment are used as coercive methods to apply pressure on tax collection.*

*A revolutionary movement begins to be fomented, which desired the independence of Brazil from Portugal.*

*The rebellion would have happened on the "Derrama's" day if one of the conspirers – Joaquim Silverio dos Reis – had not betrayed his friends and their movement. Many integrants of the so-called "Inconfidencia Mineira" – a patriotic movement – are condemned to death and afterwards have their sentences commuted to exile.*

*Only Joaquim Jose da Silva Xavier – called "Tiradentes" (Tooth Puller) – was hanged and quartered on April 21, 1792.*

Concentra seus esforços contra a Inglaterra, sua maior e mais poderosa oponente. Decreta então um bloqueio continental contra ela, visando isolá-la comercialmente de toda a Europa e, assim, enfraquecê-la.

A Inglaterra reage quando Portugal é pressionado por Napoleão a aderir ao bloqueio ou aguardar uma invasão. Quando a Inglaterra garante proteção para a transferência da Corte Real para o Brasil, D. João VI, que já via Portugal perdida para os franceses, abandona Lisboa em 29 de novembro de 1807 e parte para a Colônia. Leva metade do dinheiro em circulação, todo o ouro, prata e diamantes, arquivos e bibliotecas. Quinze mil cortesãos, entre funcionários, músicos e artistas, acompanham o Rei. Em 7 de março de 1808, D. João VI desembarca no Rio de Janeiro. E a primeira medida do Rei quando chega à Colônia é a de abrir os portos brasileiros às nações amigas. Entrega a esquadra portuguesa à Inglaterra como parte do acordo da escolta até o Brasil e assegura aos britânicos novos tratados comerciais vantajosos. Perpetua-se, assim, a dependência da economia lusitana.

Com a Corte Real no Rio de Janeiro faz-se necessária a adaptação de uma cidade provinciana em uma cidade capaz de representar Portugal no mundo.

D. João VI trouxera quase todo o dinheiro do tesouro, riqueza logo dilapidada graças aos gastos de uma "inchada" comitiva. Para sanar esse problema cria o Banco do Brasil, onde particulares entrariam com depósitos e o governo, com o controle das aplicações. Cria também um Jardim Botânico. São criados jornais, teatros, uma escola de música e uma biblioteca – o mínimo para que a colônia se assemelhasse um pouco à vida cultural da Metrópole. Não apenas a cultura do Rio de Janeiro, mas todo um estilo de vida e educação é modificado.

Enquanto transformações aconteciam na colônia, assemelhando-a à metrópole, em Portugal o país se empobrecia e fomentava o descontentamento e a rebeldia.

Após a derrota de Napoleão e a decisão do rei de Portugal de continuar na tranqüilidade do Brasil, Portugal fica sendo governado por uma Junta Tríplice.

## The Portuguese Court in Brazil

*Napoleon takes over France controlling great part of Europe. He concentrates his efforts against England, his biggest and most powerful opponent. He declares, then, a continental blockade against it, aiming to commercially isolate it from the all of Europe and thus weaken it.*

*England reacts when Portugal is pressed by Napoleon to join the blockade or to await for an invasion. When England assures the security of transferring the Royal Court to Brazil, D. Joao VI, who already saw Portugal lost to the French, abandons Lisbon and departs on November 29, 1807, escorted, to Brazil. He takes with him half of the circulating money, all the gold, silver and diamonds, files and library. Fifteen thousand courtly, among them employees, musicians and artists, follow the King.*

*On March 7, 1808, D. Joao VI disembarks in Rio de Janeiro. The first measure taken by the King at his arrival in the Colony is to open all the Brazilian ports to friendly nations. He handles the Portuguese fleet over to England, as part of the escort agreement to Brazil, and assures new advantageous commercial treaties to the British. Thus, the dependence of the Lusitanian economy is perpetuated.*

*With the Royal Court in Rio de Janeiro, it is necessary to adapt a provincial city into a city capable of representing Portugal to the world.*

*D. Joao VI brought almost all the treasury's money, source of riches soon wasted thanks to a "swallowed" committee. In order to heal this problem he creates the Bank of Brazil where the private people would make deposits and the government would control the investments. He also creates a Botanical Garden. Newspapers, theaters, a music school and a library are also created – the least for the colony to have a little bit of the cultural life of the Metropolis. Not only Rio de Janeiro's culture, but all of a life style and education are modified.*

*While transformations occurred in the colony to liken it to the metropolis, in Portugal the country was getting poor and fomented the displeasure and rebellion.*

*After the defeat of Napoleon and the decision of the king of Portugal to*

Em agosto de 1820, um movimento que começa no Porto e se alastra até Lisboa exige o fim do reinado absolutista e uma assembléia constituinte.

Em 26 de fevereiro de 1821, D. João VI não pode mais ignorar a revolta que acendia Portugal, pois o movimento eclode no Rio de Janeiro e ele próprio é feito prisioneiro dos revolucionários, tendo que prestar juramento de obediência total à nova Constituição que ainda era feita em Portugal. Torna-se, assim, não mais um rei de poder absoluto, mas uma peça a mais no novo jogo político que se desenhava.

Em 25 de abril de 1821, D. João VI cede às exigências da revolta e retorna a Portugal, deixando no Brasil seu filho e herdeiro, D. Pedro.

**A Independência**

Em 9 de dezembro de 1821 chegam de Portugal decretos extinguindo a regência de D. Pedro e reforçando a separação das províncias como unidades administrativas, forçando-as a uma completa subordinação a Lisboa, além de exigir a volta imediata do filho do rei.

Um ano após, D. Pedro cede aos apelos brasileiros para que permaneça no Brasil e lute pela sua independência.

Enquanto as Cortes em Portugal tomavam suas medidas, D. Pedro controlava a situação no Rio de Janeiro, reforçando seu domínio político e conquistando a adesão dos mineiros em tornar o país independente. Convoca uma Constituinte brasileira, separada das Cortes portuguesas, e reforça sua posição junto aos aliados.

Em 7 de setembro de 1822 recebe, às margens do rio Ipiranga, um documento exigindo seu regresso e uma carta de José Bonifácio. Era chegada a hora. D. Pedro, sem sangue ou luta, proclama a Independência do Brasil.

Em 12 de outubro de 1822 D. Pedro é aclamado Imperador Constitucional e Defensor Perpétuo do Brasil.

Em 1º de dezembro do mesmo ano é sagrado e coroado, reforçando a imagem do imperador e seu sistema de governo.

*continue in the peacefulness of Brazil, Portugal is governed by a Triple Joint.*

*In August of 1820, a movement which begins at Porto and spreads to Lisbon demands the end of the absolutist reign and a constitutional assembly.*

*On February 26, 1821, D. Joao VI cannot ignore any longer the rebellion which arose in Portugal, since the movement burst in Rio de Janeiro and he himself is made prisoner of the revolutionaries, having to pled allegiance to the new Constitution which was still being made in Portugal. Thus, he becomes not a king of absolute power, but just another piece in the new political game which was being drawn.*

*On April 25, 1821, D. Joao VI surrenders to the rebellion and returns to Portugal, leaving in Brazil D. Pedro, his son and heir.*

*The Independence*

*On December 9, 1821, decrees arrive from Portugal extinguishing the regency of D. Pedro and reinforcing the separation of the provinces as administrative units, forcing them to a complete subordination to Lisbon, besides demanding the immediate return of the king's son.*

*One year later, D. Pedro surrenders to the Brazilian appeals to remain in Brazil and fight for its independence.*

*While the Courts in Portugal were taking their measures, D. Pedro was controlling the situation in Rio de Janeiro, reinforcing his political domain and conquering the adherence of the miners in turning the country independent. He convokes a Brazilian Constituent, separated from the Portuguese Courts, and strengthens his position within the allied.*

*On September 7, 1822, he receives, at the margin of the Ipiranga river, a document demanding his return and a letter from Jose Bonifacio. The time had come. D. Pedro, without blood shedding or fight, proclaims Brazil's Independence.*

*On October 12, 1822, D. Pedro is acclaimed Constitutional Emperor and Perpetual Defender of Brazil.*

## Os Problemas de um Brasil Independente

D. Pedro precisava organizar a economia do Brasil e ainda acalentava o sonho de ser Rei de Portugal. Mas como conseguir os objetivos senão negociando com seus próprios adversários e interesseiros aliados?

Portugal estava em guerra com o Brasil ainda pela Independência e não havia capital para que se pudesse comprar um acordo de reconhecimento e paz entre as duas nações. A Inglaterra, interessada no mercado brasileiro e em obter privilégios econômicos, ajuda a financiar o reconhecimento do Brasil como nação independente frente a Portugal, que também exige sua parte na forma de uma indenização por perda de lucros. A Inglaterra serve, então, de ponte entre Portugal e Brasil, selando o tratado de reconhecimento de Independência assinado em 1825, no qual se previa a extinção do tráfico de escravos em 1831, uma taxa alfandegária de 15% para os produtos ingleses enquanto Portugal pagava 24% e os demais países, 25%, levando à ruína o tesouro nacional; liberdade de culto para os ingleses em um tempo em que o catolicismo era a religião oficial e uma indenização ao rei de Portugal e seus súditos pelas propriedades tomadas na guerra.

Claro que ninguém, exceto a própria Inglaterra, Portugal e D. Pedro, gostou dos termos de tão infame e explorador tratado, que só ficou sendo de conhecimento público quando devidamente assinado e já em vigor.

Portugal não aceita o "Tratado de Paz e Amizade" em 1825 enquanto não se restabelecem os privilégios portugueses nas relações comerciais com a taxa de 15% e sejam pagos dois milhões de libras esterlinas como indenização pelos prejuízos causados pela separação, dinheiro esse que foi direto para os cofres britânicos, pois era o mesmo valor que Portugal devia à Inglaterra.

Em 1826 começa lentamente a se materializar uma reação a D. Pedro, ainda cautelosamente devido ao recente fechamento da Constituinte. Começa a funcionar o Parlamento.

Com a Guerra Cisplatina, que culminou na criação do Uruguai, o Brasil agrava ainda mais sua situação econômica, ficando fácil se reunir uma oposição, tamanho o descontentamento com o governo de D.Pedro.

*On December first of the same year he is consecrated and crowned, reinforcing the emperor's image and his government system.*

## *The Problems of an Independent Brazil*

*D. Pedro needed to organize Brazil's economy and still dreamed of becoming the King of Portugal. But how to fulfill the objectives other then negotiating with his own enemies and self-seeking allied?*

*Portugal was still in war with Brazil for the Independence and there was no capital that could buy an agreement of recognition and peace between the two nations. England, interested in the Brazilian market and in obtaining the economic privileges, helps to finance the recognition of Brazil as an independent nation before Portugal, which also demands for its share in the form of an indemnification for profit losses. England serves then as bridge between Portugal and Brazil, sealing the Independence recognition treaty signed in 1825, where it was foreseen the extinction of slavery traffic for 1831, a 15% custom tax for the British products while Portugal paid 24% and the remaining countries 25%, taking the national treasury to ruins; freedom of religion for the British in a time when Catholicism was the official religion, and an indemnification to the king of Portugal and his vassals for the properties taken during the war.*

*Surely that no one, except England itself, Portugal and D. Pedro liked the terms of a so dishonorable and exploring treaty, which was only turned public when duly signed and in force.*

*Portugal does not accept the "Peace and Friendship Treaty" in 1825 while the Portuguese privileges on commercial relations are not restored with a 15% fee, and two million sterling pounds are paid as an indemnification for the losses caused by the separation. Money which went straight to the British sufes, since this was the same amount Portugal owed to England.*

*In 1826 a reaction to D. Pedro begins slowly to be manifested, still cautiously, due to the recent closing of the Constituent. The Parliament begins to operate.*

Em 6 de abril de 1831 os opositores impõem um ministério ao Imperador que, sem alternativa e sem querer ceder, abdica do trono na madrugada de 7 de abril de 1831 e deixa o palácio, partindo seis dias depois para a Europa, sem nem se despedir do filho de cinco anos que seria seu herdeiro.

## O Jovem Imperador

Com a abdicação de D. Pedro o menino Pedro de Alcântara é proclamado imperador e três regentes assumem a direção do país. Esse período, até Pedro de Alcântara alcançar a maioridade, vai de 1831 a 1840 e é conhecido como Período Regencial.

Após esse primeiro trio de regentes provisórios, uma nova regência, agora nomeada como definitiva, assume o poder e encontra o país em precárias condições. Motins são freqüentes, o caos econômico persiste e as finanças se deterioram.

O Governo Regencial elege então Diogo Antonio Feijó como Ministro da Justiça com plenos poderes para reprimir qualquer ação popular. Feijó reprime e reduz o exército entregando a segurança pública aos cidadãos reunidos em uma Guarda Nacional, já que não podia contar com as tropas do exército para as ações repressivas, eliminando tensões e diminuindo drasticamente os gastos do Governo.

A Guarda Nacional é criada em 18 de agosto de 1831 por lei e consiste em milícias formadas por fazendeiros armados e seus feitores e capatazes com legitimidade para reprimir qualquer ação local de protesto contra o governo.

Aos poucos a nova nação foi se adaptando à nova condição política e econômica. Um Ato Adicional em 1834 reverte o centralismo imposto por D. Pedro e promove eleições em todo o país.

Em 1835 Feijó torna-se Regente Único, e com isso ele detém o monopólio do poder. Essa situação gera insatisfação e uma série de revoltas acontecem: "Cabanagem" no Pará, "Farroupilha" no Rio Grande do Sul, "Balaiada" no Maranhão e "Sabinada" na Bahia.

---

*With the Cisplatina War, which led to the creation of Uruguay, Brazil worsens even more its economic situation, being it easy to gather an opposition, in face of the displeasure with D. Pedro's government.*

*On April 6, 1831, the opponents impose a ministry to the Emperor who, having no alternative and not wanting to surrender, abdicates the throne in the morning of April 7, 1831, and leaves the palace, departing six days afterwards to Europe, without even saying goodbye to his five years old son who would be his heir.*

### The Young Emperor

*With D. Pedro's abdication, the boy Pedro de Alcantara is proclaimed emperor and three regents assume the country's direction. This period until Pedro de Alcantara reaches the majority goes from 1831 to 1840 and it is known as a Regent Period.*

*After this period of three provisory regents, a new regency, now named as definitive, assumes the power and finds the country in precarious conditions. Riots are frequent, the economic chaos persists and the finance deteriorates.*

*The Regency Government elects thus Diogo Antonio Feijo as a Minister of Justice with full powers to restrain any popular action. Feijo restrains and reduces the army, rendering the public security to the citizens gathered in a National Guard, since he could not count with the army troops for the repressive actions, eliminating tensions and drastically diminishing the Government expenses.*

*The National Guard is created by law on August 18, 1831, consisting of militias formed by armed farmers and their administrators and foremen with legitimacy to restrain any local protest action against the government.*

*On short time the new country was adapting itself to the new political and economical condition. An Additional Act in 1834 reverts the centralism imposed by D. Pedro, thus promoting election in the whole country, presenting an inherent contradiction: it centered the power in the hands of the one regent, but gave autonomy to the provinces with the*

A aristocracia, temerosa das manifestações populares, se aproxima de posições conservadoras almejando para as revoltas sociais o uso de armas e toda forma de repressão e violência. Como os regressistas eram maioria no Legislativo, Feijó acaba renunciando em 1837 e o poder passa para Pedro de Araújo Lima, regressista moderado que deixa para trás o liberalismo de Feijó que havia saneado a economia, acertado a vida institucional e contido o tráfico de escravos mas não conseguira mudar a sociedade, ainda dependente do escravismo.

No poder, os regressistas passam a anular as conquistas liberais, tendo sufocado com violência a maioria das revoltas provinciais. O país se vê rapidamente movido a navios negreiros e mercadores de escravos, esquecendo as idéias de mudança e futuro.

Mesmo ilegal, o tráfico domina todo o sistema político e econômico, em que a corrupção é a regra entre os militares, juízes e autoridades. Com os liberais fora do caminho, apenas os cônsules e embaixadores ingleses se opõem ao tráfico já que a Inglaterra via a África como um continente livre para comprar e vender produtos e mercadorias.

Os liberais, sem ter como conter os regressistas, apelam para a antecipação da maioridade de Pedro de Alcântara, lançando a idéia em 1839, tema bem aceito na campanha das ruas – é o Golpe da Maioridade.

Em 1840 o rei é coroado e os liberais voltam ao poder mesmo que em menor número.

D. Pedro II, embora moço, fortalece a obediência de todos os políticos ao único comandante do sistema: ele próprio. Divide a política em dois partidos: o Liberal (que tenta a revolução de 1842, sem sucesso) e o Conservador (que se manteria ativo até o final do Segundo Reinado, sempre lutando pela defesa da unidade nacional e pela ordem). D. Pedro II reinará de 1840 a 1889 alternando os partidos – Liberal e Conservador – no poder. Ambos impediriam qualquer participação das camadas populares nas decisões políticas.

*elections and the National Guard.*

*In 1835 Feijo becomes Sole Regent and, with all monopoly of power, this result generates rebellions that develop into revolutions in Pará (Cabanagem), Rio Grande do Sul (Farroupilha), Maranhao (Balaiada) and Bahia (Sabinada).*

*The aristocracy, afraid of the popular manifestation, approaches to the conservatory positions, aiming for the use of guns and all forms of repression and violence against the social rebellions. As the regressors were majority in the Legislative, Feijo ends up renouncing in 1837, and the power goes to Pedro de Araujo Lima, moderate regressor, who leaves behind the Feijo's liberalism that had healed the economy, fixed the institutional life and contained the slavery traffic, but was not able to change the society, still dependent on slavery.*

*In power, the regressors start to nullify the liberal conquests, having suffocated with violence the majority of the provincial rebellions. The country is fast seen moved by Negroes ships and slave merchants, forgetting the ideals of change and future.*

*Even though illegal, the traffic dominates all the political and economical system where corruption is the rule among the militaries, judges and authorities.*

*With the liberals out of the way, only the consuls and British ambassadors make opposition to the traffic since England saw Africa as a continent free to buy and sell products and merchandise. The liberals, having no means to contain the regressors, appeal for the declaration of majority of Pedro de Alcantara, introducing the idea in 1839, theme well accepted in the street's campaign – called the Majority Coup.*

*In 1840 the king is crowned and the liberals return to power although in less number.*

*D. Pedro II, even though young, strengthens the obedience of all politicians to the only commander of the system: he himself. He divides the politics in two parties: the Liberal (which tries the revolution of 1842, with no success) and the Conservatives (which would maintain active until the end of the Second Reign, always fighting for the defense of the*

**A Cultura do Café, os Atritos com os Países Vizinhos e o Fim da Escravidão**

Em 1840 a estabilidade política e econômica do Império coincide com a expansão do café, dividindo os fazendeiros que compravam mais escravos para a manutenção do sistema e os fazendeiros que financiavam a vinda de imigrantes. A imigração parecia ser a salvação para o nascimento da lavoura.

A partir de 1847 o Imperador implanta o Parlamentarismo, pretendendo diminuir os atritos entre a aristocracia agrária e seu próprio poder moderador.

O fim do tráfico traz a necessidade de uma mudança de pensamento e comportamento. Acostumados a ver o trabalho como um rebaixamento e condenação social era difícil para a sociedade absorver que o trabalho geraria riqueza. A riqueza era vista como resultado da esperteza e nunca da dedicação. Quanto menor o envolvimento com o trabalho, mais elevada era a posição social.

Com o fim do tráfico e a ascensão da plantação de café criou-se um intenso tráfico interno. Grandes cafeicultores compravam escravos de quem os tinha, dificultando, com isso, seu verdadeiro fim.

A partir de 1864 os Liberais – novamente no poder depois de 15 anos – resolvem derrubar o governo uruguaio mas o Paraguai logo reage e invade a seguir a Argentina, causando um problema continental e trazendo despesas incalculáveis à economia do país. Em maio de 1865, Argentina, Brasil e Uruguai assinam o Tratado da Tríplice Aliança para lutar contra o Paraguai. Esse acordo tem por finalidade tirar do Paraguai o controle sobre seus rios e responsabilizá-lo pelos danos da guerra, derrubar Sólano Lopez (então presidente que levava o Paraguai a um grande desenvolvimento) e dividir extensões territoriais do Paraguai entre Brasil e Argentina.

Em 1872 Brasil e Paraguai assinam um acordo de paz mas o Paraguai se desfigura como país, ficando totalmente arruinado e jamais se reerguendo.

O Brasil ganha a guerra mas agrava sua situação socioeconômica e

*national unity and for order). D. Pedro II will reign from 1840 to 1889 alternating the parties – Liberal and Conservative – in power. Both would hinder any participation of the popular classes in the political decisions.*

***Coffee Culture, Conflicts with the Neighbor Countries and the End of Slavery***

*In 1840 the Empire's political and economic stability coincides with the coffee expansion, dividing the farmers who bought more slaves for the system's maintenance and the farmers who financed the coming of immigrants. The immigration appeared to be the salvation for the beginning of agriculture.*

*From 1847, the Emperor implements the Parliament, intending to diminish the conflicts between the agrarian aristocracy and its own moderate power.*

*The end of the traffic brings the need for a change in thought and behavior. Used to seeing work as a humiliation and social condemnation, it was difficult for the society to absorb that work would generate riches. Riches was seen as a result of smartness and never of dedication. Lesser the involvement with work, higher the social position.*

*With the end of traffic and the growth of coffee plantation, an intense internal traffic was created. Big coffee farmers bought slaves from who had them, thus making it difficult to end slavery.*

*From 1864, the Liberals – again in the power after 15 years – decide to overthrow the Uruguayan government but Paraguay soon reacts and invades Argentina, causing a continental problem and bringing incalculable expenses to the country's economy. In May of 1865, Argentina, Brazil and Uruguay sign a Triple Alliance Convention to fight against Paraguay. The purpose of this agreement is: to take from Paraguay their control over their rivers and to make them responsible for the damages caused by the war; to overthrow Solano Lopez (then president, who was leading Paraguay to a great development) and divide Paraguay's territorial extension between Brazil and Argentina.*

política, aumentando a dependência e a dívida para com a Inglaterra. O exército nacional, no entanto, se fortalece e se constitui uma força política que acaba por derrubar o governo e proclamar a República.

Em 1871 é promulgada a Lei do Ventre Livre, que declara livres todos os escravos que completassem 21 anos e os vindos após a data de vigência da lei.

Cresce a imigração, desenvolvem-se e proliferam fábricas e oportunidades de negócios, mas em certos lugares ainda reluta a resistência a favor da mão-de-obra escrava. Como a capital do governo não toma atitude nenhuma em relação ao fim da escravidão, a sociedade passa a agir por si e a partir de 1880 um movimento se faz presente e atuante: o movimento abolicionista.

Em 1884 a Província do Ceará decreta a Abolição.

Em 1885 é aprovada a Lei Saraiva-Cotegipe, tornando livres os escravos com mais de 60 anos.

Em 13 de maio de 1888 a princesa Isabel, na ausência de seu pai, que estava viajando, assina a Lei Áurea, abolindo a escravidão do país.

## A Proclamação da República e o Novo Governo

Em 15 de novembro de 1889 a monarquia cai pela incompetência em resolver energicamente a transição de uma sociedade escravista para uma sociedade em que a população assalariada aumentava vertiginosamente, e a República é proclamada. A economia se transfere da agricultura para a indústria e os republicanos tomam seu lugar ainda sem saber direito que rumo tomar.

Os militares, influenciados pelas idéias positivistas do filósofo August Comte, defendem a tese de que são cidadãos especiais, organizados e disciplinados, capazes de comandar o desenvolvimento racional do país. O progresso seria promovido, incentivado o conhecimento científico, desenvolvida uma política industrial, fortalecendo um Estado unitário. Já os republicanos paulistas preferem o federalismo, que ambiciona a divisão dos poderes entre Legislativo, Executivo e Judiciário, eleições para todos os cargos e o mínimo de interferência do Estado na economia.

*In 1872 Brazil and Paraguay sign a peace agreement but Paraguay is distorted as a country, remaining totally ruined and never rising up again.*

*Brazil wins the war but worsens its social-economical and political situation, increasing the dependency and debt with England. The national army, however, strengthens and constitutes itself a political force which ends up defeating the government and proclaiming the Republic.*

*In 1871 the Free Womb Law ("Lei do Ventre Livre") is promulgated declaring that all slaves that reach 21 years of age, and those born after this promulgation date, be free.*

*Immigration grows, factories and businesses opportunities are developed and spread throughout, but in certain places there is still resistance in favor of the slavery labor. As the capital of the government does not take any attitude to end the slavery, the society begins to act by itself and from 1880 a movement makes itself present and actuating: the abolitionist movement.*

*In 1884 the Province of Ceará declares the Abolition.*

*In 1885 the Saraiva-Cotegipe Law is approved, making slaves over 60 years of age free.*

*On May 13, 1888, princess Isabel, in the absence of her father who was traveling, signs the Aurea Law, abolishing the slavery in the country.*

## Proclamation of the Republic and the New Government

*On November 15, 1889, the monarchy falls due to its incompetence to strongly solve the transition of a slavery society into a society where the waged population was vertiginously increasing, and the Republic is proclaimed. The economy is transformed from agriculture to industry and the republicans take their place, still not knowing which direction to take.*

*The militaries, influenced by the positivist ideas of Comte, defend the thesis that they are special citizens, organized and disciplined, capable of commanding the rational development of the country. The progress would be promoted, the scientific knowledge encouraged, an industrial*

Após a queda da monarquia um governo provisório é instaurado. No poder, o Marechal Deodoro da Fonseca.

Por ser provisório (duraria de 1889 a 1891), o governo tem sua atuação centralizada em tópicos mais urgentes como a declaração da liberdade de crença, a separação entre a Igreja e o Estado, a instituição do casamento civil e o início de uma reforma bancária que provocaria uma grave crise financeira chamada de Encilhamento.

Em 25 de janeiro de 1891 o Marechal Deodoro da Fonseca é eleito para a Presidência e Floriano Peixoto para a vice-presidência. Seu governo, no entanto, é marcado por atos autoritários, fechando o Congresso, decretando "estado de sítio" e formulando uma reforma na Constituição.

O golpe de Estado fracassa e o Marechal Deodoro da Fonseca renuncia, deixando a presidência para Floriano Peixoto, que traz o país de volta à legalidade derrubando partidários políticos do ex-presidente, que governavam estados.

O governo do Marechal Floriano Peixoto encontra dificuldades, resistências e conflitos violentos como a "Revolta Federalista" no Rio Grande do Sul – verdadeira guerra civil – que são resolvidos, dando-lhe o apelido popular de "Marechal de Ferro".

Em 15 de novembro de 1894 chega ao poder Prudente de Moraes. É a oligarquia cafeeira paulista substituindo os militares.

Em 1898 outro paulista se elege pelo Partido Republicano paulista, reafirmando o poder das oligarquias do café.

Com Campos Sales no poder, em 1898 a oligarquia cafeeira se consolida economica e politicamente, dando início ao que se chamou Política dos Governadores, pois o controle quase absoluto do poder estava nas mãos de São Paulo e Minas Gerais. Era a República Café-com-Leite. Essa República coronelista, clientelista e oligárquica continuava representando os interesses das elites rurais, ignorando totalmente as necessidades e o crescimento das camadas populares.

O presidente seguinte, Rodrigues Alves, ainda vinculado ao sistema do café vê aumentar a exportação de dois outros produtos nacionais que levam o Brasil a uma certa supremacia no mercado mundial: a borracha

*policy developed, strengthening an unitary State. On the other hand, the republicans of São Paulo preferred the federalism, which desires a division of power among Legislative, Executive and Judiciary; elections for all public positions and a minimum interference of the State in the economy.*

*After the fall of the monarchy, the Provisory government is installed. In power, Marshal Deodoro da Fonseca.*

*Being a provisory government (it would last from 1889 to 1891), the government has its actuation centralized on more urgent topics, such as the decree of freedom of belief, the separation between the Church and the State, institution of civil marriage and the beginning of a banking reform which would provoke a severe financial crisis called "Encilhamento" (Financial Speculation).*

*On January 25, 1891, Marshal Deodoro da Fonseca is elected for the Presidency and Floriano Peixoto for Vice-President. His government, however, is marked for its authoritarian acts, closing the Congress, declaring "state of siege" and formulating a Constitutional reform.*

*The coup d'état fails and Marshal Deodoro da Fonseca resigns, leaving the presidency to Floriano Peixoto, who brings the country back to legality, overthrowing the ex-president's political allies, who governed the States.*

*The government of Marshal Floriano Peixoto finds difficulties, resistance and violent conflicts like the "Federalist Rebellion" in Rio Grande do Sul – a true civil war – which are solved, giving him the popular nickname of "Iron Marshal".*

*On November 15, 1894, comes to the power Prudente de Moraes. It is the coffee oligarchy of Sao Paulo substituting the militaries.*

*In 1898 another "paulista" is elected through the paulista Republican Party confirming the power of the coffee oligarchy.*

*With Campos Sales in power in 1898, the coffee oligarchy is economically and politically consolidated giving the start to what was called the Governors Politics, because the almost absolute control of the power was in the hands of Sao Paulo and Minas Gerais. This was the*

e o cacau. Com o aumento da receita devido a essas crescentes exportações, grandes obras são iniciadas e reformas importantes, feitas. Rodrigues Alves concentra suas obras e reformas, no entanto, na capital do país, em uma tentativa de transformá-la em um modelo de metrópole. Demolindo morros e praticamente metade da cidade para abrir uma avenida – a Avenida Central – o novo governo impõe o progresso a qualquer preço.

A miséria e a pobreza em que a maior parte da população sempre vivera favorece as epidemias que, com o crescimento da cidade, alastram-se. Rodrigues Alves contrata então o sanitarista Osvaldo Cruz, que impõe a vacinação obrigatória resultando, em 1904, a "Revolta da Vacina"; a população reage à novidade e recusa a vacinação contra a varíola, não acreditando na eficiência desse método novo de combate.

Uma das conseqüências das desocupações das áreas centrais da cidade é a expulsão da população de trabalhadores e pobres para os arredores, onde não havia saneamento ou um mínimo de estrutura urbana dando origem, assim, ao nascimento das favelas, construções de madeira nos morros, onde não havia nem água nem nada.

Em 1906 Afonso Pena chega ao poder alicerçado ainda pelas oligarquias cafeeiras. Afonso Pena, no entanto, pretendia levar o progresso para o interior também e, para isso, encarrega o Marechal Cândido Rondon – depois conhecido apenas como Rondon – de instalar linhas telegráficas no Oeste do país.

Rondon, acostumado a viver com os índios, toma uma postura diferente de ocupação respeitando a cultura e a sociedade indígena. Cria o Serviço de Proteção ao Índio, além de explorar zonas até desconhecidas do território brasileiro. Graças ao seu entendimento sobre a necessidade de demarcação das terras indígenas com a criação de parques nacionais, um novo relacionamento entre brancos e índios se fez em bases mais humanas de igualdade.

Nilo Peçanha assume o poder já pensando em seu sucessor, o Marechal Hermes da Fonseca, causando um grande descontentamento na população e gerando o que antes não havia: um candidato de oposição.

*Coffee-with-Milk Republic. This colonelcy, cliental and oligarchic Republic, continued to represent the rural high class interests, totally ignoring the low classes' needs and growth.*

*The following president, Rodrigues Alves, still connected with the coffee system, sees the increase of the export of two other national products, which take Brazil to a certain supremacy in the world market: rubber and cocoa. With the increase of income due to these growing exports, great works are started and important reforms are made. Rodrigues Alves concentrates his works and reforms, however, in the country's capital, in an attempt to transform it into a model of metropolis.*

*Demolishing hills and practically half the city to open one avenue – the Central Avenue – the new government imposes the progress at any cost.*

*The misery and the poverty in which the biggest part of the population always lived, propitiates the epidemics which, with the growth of the city, spreads.*

*Rodrigues Alves then contracts the sanitarian Osvaldo Cruz who imposes the obligatory vaccination resulting, in 1904, in the "Vaccination Revolt", when the population reacts to the novelty and refuses the vaccination against smallpox, not believing on the efficiency of this new control method.*

*One of the consequences of the vacancy of the central areas of the city is the expelling of the working population and the poor to surrounding areas, where there was no sanitation or a minimum of an urban structure, leading to the origin of the "favelas" (slums), wooden constructions in the hills, where there was no water, or anything.*

*In 1906 Afonso Pena comes into power, still settled by the coffee oligarchies. Afonso Pena, however, intended to take the progress also to the inland, and for this, he appoints Marshal Candido Rondon – afterwards known only as Rondon – to install telegraphic lines on the West side of the country.*

*Rondon, used to live with the Indians, takes a different occupation position, respecting the Indians' culture and society. He creates the Protection Service to the Indian, besides exploring unknown zones of the*

Rui Barbosa, seu opositor, move uma campanha civilista (1910-1914) mas acaba derrotado.

O governo do Marechal Hermes da Fonseca é marcado pelo autoritarismo e pelo uso intensivo de violência para resolver entraves e problemas políticos, intervindo nas políticas estaduais.

Após o governo do Marechal Hermes da Fonseca, Venceslau Brás foi o mineiro escolhido para sucedê-lo, tendo que enfrentar agitações internas de toda ordem (a seca nordestina de 1915, a greve de 1917...). A oligarquia cafeeira que havia levado ao poder Venceslau Brás entra em uma crise que se estenderá pela década de 20, levando à falência uma República oligárquica que teimava em aceitar o desenvolvimento que a modernidade trazia.

Rodrigues Alves sucede Venceslau Brás mas, doente, toma posse e não chega a governar. Seu vice, Delfim Moreira, também doente e sem bases políticas, encontra dificuldades para se manter no governo e novas eleições são convocadas, as quais Epitácio Pessoa vence. A administração em seu governo é confusa e sua atitude diante dos problemas econômicos, omissa. O descontentamento e a oposição de todos os setores da sociedade se manifestam. Rapidamente as oligarquias políticas do Café-com-Leite escolhem seu futuro substituto: Artur Bernardes.

Os gaúchos reagem com a indicação do futuro presidente e formam, junto a políticos do Rio, Pernambuco e Bahia, a Reação Republicana, lançando uma candidatura de oposição com Nilo Peçanha para presidente.

Os militares se revoltam com o regime oligárquico-coronelista que ditavam os presidentes e comandavam a economia e a política do país. Mas, apesar dos protestos, Artur Bernardes é eleito. Consolida-se o Tenentismo, movimento militar no qual se exigia a participação das Forças Armadas no processo político do país. Explodem revoluções em 1923 no Rio de Janeiro e em 1924 em São Paulo.

Em 1929, com a queda da bolsa, os preços caem e o comércio do café despenca, fragilizando as classes que detinham o poder.

*Brazilian territory. Thanks to his understanding of the need to mark the Indian's lands with the creation of national parks, a new relationship between whites and Indians was made on more equal and human basis. Nilo Peçanha assumes the power already thinking in his successor, Marshal Hermes da Fonseca, causing a great displeasure in the population and generating what there used not to be: an opposite candidate. Rui Barbosa, his opponent, moves a civilian campaign (1910-1914) but was defeated.*

*The Marshal Hermes da Fonseca government was marked for his authoritarianism and by the intense use of violence to solve obstacles and political problems, intervening in the state politics.*

*After the government of Marshal Hermes da Fonseca, Venceslau Bras was the "mineiro" (Minas Gerais native) chosen to succeed him, having to deal with internal riots of all kinds (the 1915 northeast drought, the 1917 strike...). The coffee oligarchy, which brought to power Venceslau Bras comes into a crisis which will extend through the 20's, taking to bankruptcy an oligarchic Republic which insisted in accepting the development that modernity was bringing.*

*Rodrigues Alves succeeds Venceslau Bras but, ill, takes possession but does not govern. His Vice, Delfim Moreira, also ill and with no political support, finds difficulties to maintain himself in the government and new elections were convoked, when Epitacio Pessoa wins. The administration of his government is confused and his attitude towards the economical problems, absent. The displeasure and the opposition of all sections of the society are made manifest. Soon the political oligarchies of the "Coffee-with-Milk", choose their future substitute: Artur Bernardes.*

*The "gauchos" (natives of Rio Grande do Sul) react with the indication of the future president and form, together with the politicians of Rio de Janeiro, Pernambuco and Bahia, the Republican Reaction, launching a candidate of opposition, with Nilo Peçanha for President.*

*The militaries rebel with the colonel-oligarchy regimen which dictated the presidents and commanded the economy and the country's politics.*

Em 3 de outubro de 1930 é dado um golpe de Estado, levando Getúlio Vargas ao poder.

A República Velha chega ao fim.

## Das Instabilidades Políticas a uma Nova República

Em 3 de novembro de 1930 Getúlio Vargas toma posse como Presidente da República. O novo governo tem duas metas principais: varrer os males do passado e implantar um programa de desenvolvimento para o país. O federalismo é anulado. O Congresso, as Assembléias e as Câmaras são fechadas. Os governadores estaduais, substituídos por interventores.

Em 26 de novembro de 1930 o Ministério do Trabalho, Indústria e Comércio é criado e uma série de leis trabalhistas, promulgada (o direito a férias, previdência social, jornada de trabalho de oito horas) ampliando direitos e garantias do trabalhador.

Em 1943 a Consolidação das Leis do Trabalho (CLT) amplia as medidas adotadas em 1930.

São Paulo reage ao sistema dos interventores e ao enfraquecimento de seu poder, face ao fortalecimento do governo central.

Em 1932, classes médias, burguesia e latifundiários tentam abalar a autoridade de Vargas e lutam por uma Constituinte. A Revolução de 32, também chamada de Revolução Constitucionalista, dura apenas três meses. Vargas sai vitorioso mas convoca eleições para a Assembléia Nacional Constituinte.

A Constituição de 1934 amplia os poderes do Governo Federal. A centralização do poder político se faz mais rapidamente.

Em novembro de 1935 os comunistas, liderados por Luís Carlos Prestes, se revoltam e tentam derrubar o governo que declara estado de sítio, favorecendo o golpe de estado que Getúlio daria em seu próprio Governo. Em 1937 implanta o Estado Novo e fecha o Congresso. Suspende as eleições, extingue os partidos políticos. Passa a governar como ditador.

Cresce a violência. Inicia-se uma agressiva repressão policial. Os suspeitos de serem comunistas são perseguidos, presos e mortos. A

*But, despite the protests, Artur Bernardes is elected. The "Lieutenantism" (Lieutenant politics) is consolidated, a military movement which demanded that the Armed Forces participated in the political process of the country. Revolutions burst in 1923 in Rio de Janeiro and in 1924 in Sao Paulo.*

*In 1929, with the fall of the stock market, the prices drop and the coffee commerce falls, weakening the classes that held the power.*

*On October 3, 1930, a coup d'état brings Getulio Vargas to power.*

*The Old Republic comes to an end.*

### Political Instability and a New Republic

*On November 3, 1930, Getulio Vargas comes into office as President of the Republic. The new government has two main goals: to sweep the past damages and to implement a development program for the country. The federalism is cancelled. The Congress, the Assemblies and the Chambers are closed. The state governors are substituted by interveners.*

*On November 26, 1930, the Ministry of Labor, Industry and Commerce is created and a series of labor laws promulgated (the right to vacation, social welfare, working hours of eight hours), expanding the worker's rights and guarantees.*

*In 1943 the Labor Law Consolidation (CLT) expands the measures adopted in 1930.*

*Facing the strengthening of the central government, São Paulo reacts to the interveners system and to the weakening of its power.*

*In 1932, the middle classes, bourgeoisie and landowners tried to threat Vargas's authority and fight for a Constituent. The Revolution of 32, which is also called the Constitutionalist Revolution, only lasts three months. Vargas is victorious but convokes elections for the National Constituent Assembly.*

*The 1934 Constitution expands the Federal Government's power. The centralization of the political power is made quickly.*

*On November of 1935 the communists, lead by Luis Carlos Prestes, rebel and try to overthrow the government, which declares state of siege,*

- História do Brasil - Clarence José de Matos e César A. Nunes - Ed. Nova Cultural.

*industrial sectors, middle class and part of the proletarian class. The military dictatorship comes to an end. The civilians return to the government.*
*The New Republic has its start.*

### *Bibliography*
- *Viagem pela História do Brasil - 2. ed. - Jorge Caldeira, Flavio de Carvalho, Claudio Marcondes e Sergio G. de Paula - Cia. das Letras.*
- *História do Brasil: da colônia à República - Francisco M.P. Teixeira e José Dantas - Ed. Moderna.*
- *História do Brasil - Clarence José de Matos e César A. Nunes - Ed. Nova Cultural.*

1

2•3

4

9 • 10

11

19

21

18

20

22

23

24

25

28

29

30

33

37

38

43

47

48

49                                                                                                                                          50

57

58

65

66

67

68

73

83

84

85

90

89

91

92

95

96

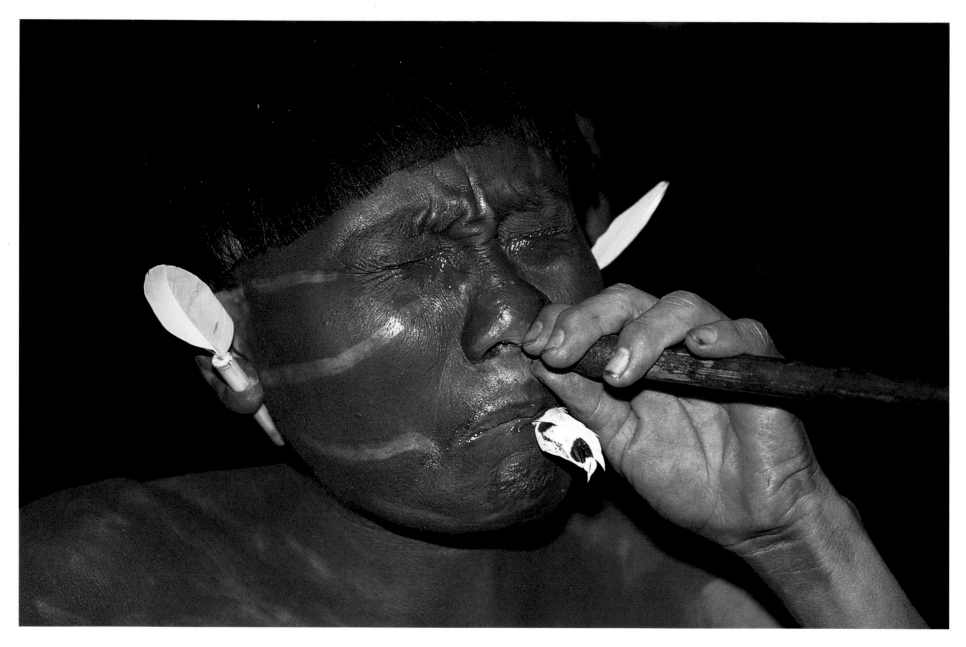

113

114

115

116

117

119

120

121

122

123

124

## 1 Pão de Açúcar, Rio de Janeiro

A 396 metros do nível do mar se encontra a melhor vista da cidade, de onde se pode ver a Baía da Guanabara e suas ilhas, o Cristo Redentor, o Aterro do Flamengo, o centro da cidade e a ponte Rio-Niterói.

Seu nome vem da semelhança com o "pão de açúcar", formato que tomava o torrão de açúcar vendido pelos portugueses na Ilha da Madeira. Chega-se ao topo do Pão de Açúcar utilizando um bondinho suspenso por cabos de aço. A travessia se faz em duas etapas: da Praia Vermelha ao Morro da Urca, a 215 metros de altitude, e, depois, do Morro da Urca ao Pão de Açúcar.

As obras para a instalação do bondinho começaram em 1909, sendo concluídas em 1912. A ligação da primeira parte até o Morro da Urca é inaugurado em 27 de outubro de 1912. O segundo trecho, alcançando o Pão de Açúcar, só ficaria pronto em 18 de janeiro do ano seguinte.

## 2 Baía de Guanabara, Rio de Janeiro

Baía de estreita passagem é confundida com um rio na época de seu descobrimento, levando assim o nome de Rio de Janeiro, já que sua descoberta foi a primeiro de janeiro de 1502.

A região começa a ser ocupada em 1504, quando portugueses se instalam na Praia Uruçumirim – hoje Glória e Flamengo – por três anos, construindo uma casa que acaba sendo chamada pelos índios de KARI-OCA (casa dos brancos). Dando esse nome ao rio que ali desembocava e ao povo branco que começava a chegar.

## 3/8 Centro da Cidade, Rio de Janeiro

Situado no meio de numerosas ruas, o Largo da Carioca sempre foi um lugar movimentado. Passagem obrigatória de grande parte da população é cercado por prédios e estabelecimentos comerciais, metrô, ruas e avenidas.

Como quase todo o centro da cidade, o novo e o antigo se misturam. Fachadas e ornamentos de épocas coloniais se misturam à arquitetura urbana do século XX.

## 1 Sugar Loaf, Rio de Janeiro

*The best view of the city is found at 396 meters above sea level, where you can see the Guanabara Bay and its islands, the statue of Cristo Redentor (Christ the Redeemer), the Flamengo embankment, the city downtown and the Rio-Niteroi bridge.*

*"Sugar-loaf" is named after its similarity with the shape of a sugar lump sold by the Portuguese in the Madeira Island.*

*You get to the top of the Sugar Loaf by a cable car. The crossing is made in two steps: from Praia Vermelha (Red Beach) to the Urca Mount, at an altitude of 215 meters and, afterwards, from the Urca Mount to the Sugar Loaf.*

*The cable car's installation work began in 1909 ending in 1912. The connection of the first part to the Urca Mount is inaugurated on October 27, 1912. The second part, reaching the Sugar Loaf, would only be ready on the following year on January 18th.*

## 2 Guanabara Bay, Rio de Janeiro

*The bay with its narrow passage is mistaken for a river at the time of its discovery, for this reason it was named Rio de Janeiro (January River), since its discovery happened on January 1, 1502.*

*The region begins to be occupied in 1504, when the Portuguese settle for three years in the Uruçumirim Beach – today called Gloria and Flamengo – building a house which was called by the Indians, KARI-OCA (house of the whites). They gave then this name to the river which discharged there, and to the white people which began to arrive.*

## 3/8 Downtown, Rio de Janeiro

*The Carioca Square, situated in the middle of several streets, was always a busy place. Obligatory passage for most part of the population, it is surrounded by buildings and commercial establishment, subway, streets and avenues.*

*Like almost all cities' downtown, the new mingles with the old. Facades and ornaments of colonial times mingle with the urban architecture of*

Uma amostra dessa mistura de estilos arquitetônicos é o Teatro Municipal do Rio de Janeiro. Construído em função da abertura da Avenida Rio Branco, o Teatro Municipal é inaugurado em 14 de julho de 1909, depois de quatro anos de obras. Inspirado na Ópera de Paris, teve todo o material utilizado em sua construção e acabamento, importado da Europa: mármores, ônix, bronze, vitrais, cristais, espelhos, mosaicos, maquinaria de palco e muito mais.

Próximo ao Teatro Municipal temos a estação de Metrô da Cinelândia. O clássico e o moderno novamente co-existindo em harmonia. Inaugurado em 5 de Agosto de 1979 com cinco estações, o metrô em dez dias de vida já alcançava meio milhão de usuários, se transformando em um importante e imprescindível meio de transporte. Hoje conta com 31 estações e duas linhas de comunicação, ligando a Pavuna à Copacabana, na Estação Praça Cardeal Arco Verde.

### 9 Lagoa Rodrigo de Freitas, Rio de Janeiro

Antigamente chamada de Lagoa das Tretas, a Lagoa Rodrigo de Freitas deve seu nome ao português Rodrigo de Freitas, proprietário do engenho de cana e de enorme fazenda que compreendia a área que ia de Copacabana ao Horto. A Lagoa, em cujas margens se plantava cana de açúcar e pasto, ocupava uma área quase duas vezes maior que a atual e seu canal de comunicação com o mar – o que garante seu ecossistema – tinha mais de 200 metros de largura.

Hoje a Lagoa Rodrigo de Freitas é um dos lugares mais freqüentados do Rio de Janeiro, pela diversidade de esportes e espaços de lazer que oferece. Quiosques oferecem comidas típicas, música ao vivo e outras atividades à sua volta.

### 10 Jardim Botânico, Rio de Janeiro

Criado por D. João VI em 1808 para aclimatar as especiarias vindas das Índias Orientais, o Jardim Botânico foi originalmente projetado visando fins econômicos. Sua função seria a de experimentar diversas modalidades de cultivo, a fim de adaptá-las ao clima brasileiro.

*the 20th century.*

*A sample of the mixture of these architectonic styles is Rio de Janeiro's Municipal Theater. Built in function of the opening of the Rio Branco Avenue, the Municipal Theater is inaugurated on July 14, 1909, after four years of works. Inspired in the Paris Opera, the material used in its construction and finishing was imported from Europe: marble, onyx, bronze, stained-glass window, crystals, mirrors, mosaic, stage machinery and much more.*

*Near the Municipal Theatre we have the Cinelandia Subway station. The classic and the modern co-existing in harmony once again. Inaugurated on August 5, 1979, with five stations, it reached half a million users in only ten days of use, becoming one of the most important and essential means of transportation. Today, it counts with 31 stations and two connecting lines, connecting Pavuna to Copacabana, on Cardeal Arco Verde Square Station.*

### 9 *Rodrigo de Freitas Lagoon, Rio de Janeiro*

*Previously called Tretas Lagoon, the Rodrigo de Freitas Lagoon was named after the Portuguese Rodrigo de Freitas, owner of the sugar cane plantation and of a large farm which comprised the area from Copacabana to the Horto. The Lagoon, in whose margins sugar cane and pasture were planted, occupied an area twice as big than the present one, and its connecting channel to the sea – which guarantees its ecosystem – was more than 200 meters wide.*

*Today the Rodrigo de Freitas Lagoon is one of the mostly visited places in Rio de Janeiro, due to its variety of sports and leisure centers offered. There are street stands which offer typical food, live music and other surrounding activities.*

### 10 *Botanical Garden, Rio de Janeiro*

*Created by D. Joao VI in 1808 to acclimate spices coming from East India, the Botanical Garden was originally designed for economic purposes. Its function would be to experiment a variety of crops, in order*

Uma dessas experiências fracassadas foi o cultivo de chá, para o qual foram trazidas não apenas as mudas mas os próprios chineses para as plantar.

Atualmente o Jardim Botânico abriga mais de oito mil espécies de plantas e detém a maior coleção de plantas, entre elas uma coleção de palmeiras de 300 espécies diferentes.

## 11 Morro do Corcovado, Rio de Janeiro

De diversas áreas da cidade se pode avistar o Morro do Corcovado, de onde o Cristo Redentor – a maior estátua existente – recebe a cidade e seus habitantes de braços abertos.

Principal cartão-postal da Cidade Maravilhosa, o Morro do Corcovado é conhecido mundialmente por sua beleza e a magnitude do Cristo Redentor que, dependendo do tempo, parece estar acima das nuvens.

## 12/14 Praia de Copacabana, Rio de Janeiro

É a primeira praia de oceano aberto, situada já quase na entrada da Baía da Guanabara, junto ao Pão de Açúcar.

A Praia de Copacabana deve seu nome aos portugueses e bolivianos que trouxeram um dia, da cidade de Copacabana, na Bolívia, uma cópia da imagem de Nossa Senhora da Candelária, instalando-a em uma pequena capela bem próxima à praia. A Santa então passou a se chamar Nossa Senhora de Copacabana, dando nome à praia e ao bairro que a circunda.

A Praia de Copacabana é a mais tradicional e a mais conhecida praia do Rio de Janeiro, tendo sua beleza sido retratada infinitas vezes tanto à luz do dia como à noite, quando parece se mostrar ainda mais bela.

## 15 Cristo Redentor, Rio de Janeiro

O Cristo Redentor se situa a 710 metros de altitude, no pico do morro do Corcovado. Construído como um grande monumento nacional de celebração do Centenário da Independência, se tornou uma das marcas registradas da cidade do Rio de Janeiro. Arquitetado por

---

to adapt them to the Brazilian climate. One of these unsuccessful experiences was tea cultivation, for which not only the seeds, but also the Chinese themselves were brought to plant them.

Presently the Botanical Garden maintains over eight thousand plant species and holds the biggest plant collection, among which a palm collection of 300 different species.

## 11 Corcovado Mount, Rio de Janeiro

The Corcovado Mount can be seen from many places of the city, from where the Cristo Redentor (Christ the Redeemer) – the biggest existing statue – receives the city and its inhabitants with open arms. The main post card of the Wonderful City, the Corcovado Mount is known worldwide for its beauty and the magnitude of Christ the Redeemer, which, depending on the weather, looks like it is above the clouds.

## 12/14 Copacabana Beach, Rio de Janeiro

It is the first open sea beach, situated almost at the entry of the Guanabara Bay, next to the Sugar Loaf.

Copacabana Beach owes its name to the Portuguese and Bolivians that once brought from the city of Copacabana in Bolivia, a copy of the image of Our Lady of Candelaria, installing it in a small chapel near the beach. The Saint was then called Our Lady of Copacabana, giving the name to the beach and to the surrounding district.

Copacabana Beach is the most traditional and known beach of Rio de Janeiro, having had its beauty pictured many times both in daylight as well as at night, when it looks even more beautiful.

## 15 Christ the Redeemer, Rio de Janeiro

Christ the Redeemer is situated at an altitude of 710 meters, at the top of the Corcovado Mount. Constructed as a great national monument in celebration of the Centenary of Independence, it became one of the symbols of the city of Rio de Janeiro. Its architecture was

Heitor da Silva Costa, contou com a colaboração do escultor francês Paul Landowski.

São 38 metros de altura e 1.145 toneladas de uma escultura revestida, em princípio, de pedra-sabão. Só as mãos do Cristo pesam 9 toneladas cada uma e sua cabeça, 30, sendo esculpidas em Paris por Landowski. A distância entre as mãos do Cristo Redentor é de 28 metros.

É inaugurado oficialmente em 1931, quando é ligada sua iluminação diretamente de Gênova – Itália – por Marconi. Em 1965 o Papa também acionaria as luzes do Cristo Redentor diretamente do Vaticano.

Do alto do morro e na base do monumento vislumbra-se a cidade, tendo logo à frente o Pão de Açúcar e a Baía da Guanabara, cartões-postais do Rio de Janeiro.

## 16/31 Carnaval, Rio de Janeiro

A história do Carnaval no Brasil tem raízes portuguesas. Os imigrantes lusitanos trazem o Entrudo – semelhante aos atuais blocos de sujos, no qual a festa consiste em jogar água ou farinha uns nos outros. Aos poucos o Entrudo vai se enriquecendo com a música, o ritmo e outras formas de cultura popular.

As escolas de samba vêm evoluindo junto à cidade do Rio de Janeiro desde a década de 1920. Naquela época, no entanto, o carnaval era festejado de maneiras diferentes, dependendo da classe social em que se estivesse.

As "grandes sociedades" que surgiram na metade do século XIX e que eram organizadas pelos mais ricos desfilavam ao som de árias de óperas e em luxuosos carros alegóricos.

Os ranchos, criação da pequena burguesia urbana, desfilavam com enredo, fantasias e carros alegóricos com melodias características.

E os blocos, formados pelas camadas mais pobres da população dos morros e periferia da cidade, que incluíam os negros, mulatos e toda a tradição africana, saíam pelas ruas de uma forma mais livre, espontânea e divertida.

As escolas de samba de hoje misturam essas diferentes classes,

---

developed by Heitor da Silva Costa with the cooperation of the French sculptor Paul Landowski.

It is 38 meters high and 1,145 ton of a sculpture coated, in principle, with soapstone. Just the Christ's hands weigh 9 tons each and the head 30 tons, having been sculpted in Paris by Landowski. The distance between the hands is 28 meters.

In 1931 it is officially inaugurated, when its lighting is turned on by Marconi, straight from Genoa – Italy. In 1965, the Pope would also turn on the lights of Christ the Redeemer straight from the Vatican.

A glimpse of the city can be caught from the top of the mount and on the monument's base, with the Sugar Loaf and the Guanabara Bay, Rio de Janeiro's post cards, right in front of it.

## 16/31 Carnival, Rio de Janeiro

The history of Carnival in Brazil has Portuguese roots. The Lusitanian immigrants bring the Shrovetide ("Entrudo" – like a clown) – similar to the present dirty blocks, where the party consists of throwing water and flour one on the other. Step by step the Shrovetide is enriched with the music, rhythm and other forms of popular culture.

The samba schools have been upgraded within the city of Rio de Janeiro since the 20's. On those times, however, carnival was celebrated in different ways, depending on the people's social level.

The "great societies" that emerged in the middle of the 19th century and that were organized by the richer, paraded at the sound of opera arias and inside luxurious allegoric cars.

The ranches, creation of the small urban bourgeoisie, paraded with plot, costumes and allegoric cars with characteristic melodies.

And the blocks, formed by the lower classes of the population from the slums and the city periphery, which included the blacks, mulattos and all the African tradition, went out to the streets on a more free, spontaneous and fun style.

The samba schools of today mix these different classes, incorporating the plot, the master of ceremonies and the standard-bearer of the ranches

incorporando o enredo, o mestre-sala e a porta-bandeira dos ranchos e os carros alegóricos da elite, que devem traduzir o tema abordado pela escola em seu samba em forma de alegoria, servindo de passarela móvel a fantasias luxuosas e coloridas, personalidades e passistas.

O samba e a bateria surgem nessa mistura. O morro e o asfalto, o rico e o pobre, o sonho e a realidade se unem em quatro dias de alegria e beleza. O confete e a serpentina, indispensáveis em qualquer carnaval, chegam ao Brasil em 1892. O confete vindo da Espanha e a serpentina, da França.

Nas noites de desfile das escolas de samba do Carnaval do Rio de Janeiro, passam pelo Sambódromo os mais diferentes tipos de foliões. Desde principiantes, brasileiros e estrangeiros que não sabem sambar direito, até sambistas experientes, como é o caso da top model Fábia Borges (Foto 17), madrinha da bateria de uma importante escola e filha da porta-bandeira Juju Maravilha.

Pessoas desconhecidas do grande público também têm o seu dia de glória ao desfilarem ao lado de sambistas tradicionais e artistas famosos, como Viviane Araújo e Francisco Alves (Foto 30) e ainda Valéria Valenssa (Foto 31), a "Globeleza" que há 10 anos é o símbolo das transmissões do carnaval pela TV Globo, quarta maior rede de televisão privada do mundo e casada com o também famoso *designer* austríaco Hans Donner.

## 32 Pão de Açúcar, Rio de Janeiro

O nascer do sol no Rio de Janeiro reproduz uma beleza natural na qual se pode captar a imagem de um lugar ainda selvagem por ser descoberto. Uma visão rara em que o tempo parece não ter passado, nos possibilitando sentir a emoção dos primeiros portugueses a vislumbrar um novo dia repleto de surpresas e aventuras.

## 33/35 Diamantina, Minas Gerais

Situada no norte do Estado de Minas Gerais, no extremo norte da faixa do ouro, nas cabeceiras do rio Jequitinhonha e

---

*and the high class allegoric cars, which should translate the theme proposed by the school in its samba in the form of an allegory, having the luxurious and colorful costumes, personalities and dancers in movement along the avenue.*

*The samba and the battery appear in these mixture. The hill and the asphalt, the rich and the poor, the dream and the reality are united in four days of happiness and beauty. The confetti and the serpentine (coiled paper streamer), indispensable in any carnival, arrive in Brazil in 1892. The confetti coming from Spain, and the serpentine from France.*

*At the nights of the Rio de Janeiro Carnival parade, the most different kinds of revellers pass by the samba parading area. From beginners, Brazilians and foreigners that do not know how to dance right to experienced samba dancers, such as top model Fábia Borges (Picture 17), godmother of the drum of an important samba school and daughter of flag bearer Juju Maravilha.*

*Unknown people from the great audience also have their day of glory by parading beside traditional samba dancers and famous artists as Viviane Araújo and Francisco Alves (Picture 30) and still Valéria Valenssa (Picture 31), the "Globeleza" (the junction of the names Globo and Beauty) who for ten years has been the symbol of the transmissions of Carnival by TV Globo, the fourth largest private television network of the world, and married to also famous Austrian designer Hans Donner.*

## 32 Sugar Loaf, Rio de Janeiro

*Rio de Janeiro's sunrise reproduces a natural beauty where one could capture the image of a still wild place, to be discovered. A rare vision in which time seems as though it has not passed by, allowing us to feel the emotion of the first Portuguese to catch a glimpse of a new day full of surprises and adventures.*

## 33/35 Diamantina, Minas Gerais

*Situated at the north of the State of Minas Gerais, at the extreme north of the gold strip, at the Jequitinhonha River headwaters*

do sertão, Diamantina difere das outras cidades históricas. Com um estilo arquitetônico "estrangeiro" e original impregnado de influência árabe, Diamantina apresenta algumas características urbanas particulares.

A ausência de praças e grandes prédios públicos e a construção das igrejas em meio às casas (reduzindo seu papel de referência social para a cidade) são traços marcantes dessa cidade que, com a descoberta de diamantes, fica isolada. Seu estilo barroco é mais simples e elegante.

A partir da segunda metade do século XIX, Diamantina inicia um período de decadência econômica com o esgotamento das jazidas. Intensifica-se a agricultura de subsistência e, já no século XX, a indústria têxtil surge como nova opção econômica.

## 36/38 Ouro Preto, Minas Gerais

Fundada no início do século XVIII, Ouro Preto foi declarada Patrimônio da Humanidade e tombada pela Unesco. Hoje conhecida apenas como Ouro Preto, a Vila Rica de Nossa Senhora do Pilar do Ouro Preto possui treze grandes igrejas, vários monumentos e praças públicas.

A cidade inteira, em meio a praças e ladeiras, é uma obra de arquitetura e da arte colonial brasileira, onde mostra uma grande riqueza de detalhes.

Ao ar livre artesãos mostram seus trabalhos em grandes feiras que já se tornaram atração turística, junto às pinturas de Manoel da Costa Athaide e às esculturas de Antonio Francisco Lisboa, o Aleijadinho, obras essas que marcam o estilo barroco mineiro, fazendo-o conhecido e elogiado no mundo inteiro.

## 39 Gruta de Maquiné, Minas Gerais

Descoberta em 1825, a Gruta de Maquiné é uma das mais belas grutas do país. Verdadeiro palácio feito de estalactites e estalgmites, possui salões altos e largos, formando seqüências de espaços que levam a profundidades cada vez maiores.

São, ao todo, sete salões em uma área que compreende 650 metros quadrados.

*and the backlands, Diamantina differs from the other historic cities. With an original and "foreign" architectonic style impregnated with Arabic influences, Diamantina presents some unique urban characteristics.*

*The absence of squares and public large buildings and the construction of churches among the houses (reducing its role of social reference for the city), are distinguished signs of this city that, with the discovery of diamonds, remains isolated. Its baroque style is simpler and elegant.*

*From the second half of the 19th century, Diamantina begins a period of an economic decay with the exhaustion of the mines. The subsistence farming is intensified and, already in the 20th century, the textile industry emerges as a new economic option.*

## 36/38 Ouro Preto, Minas Gerais

*Founded in the beginning of the 18th century, Ouro Preto was declared World Heritage and registered by Unesco. Today known only as Ouro Preto, "Vila Rica de Nossa Senhora do Pilar do Ouro Preto" has thirteen large churches, many monuments and public squares.*

*The whole city, among squares and hills, is an architectural and a Brazilian colonial art work, showing a great deal of details.*

*Artisans expose their works on large outdoors fairs which have already become a tourist attraction, together with Manuel da Costa Athaide's paintings and Antonio Francisco Lisboa's sculptures, the "Aleijadinho" (Crippled), works which are a symbol of the "mineiro" (original from Minas Gerais) baroque style, making them known and praised worldwide.*

## 39 Maquine Cave, Minas Gerais

*Discovered in 1825, the Maquine Cave is one of the country's most beautiful caves. A genuine palace made of stalactites and stalagmites, it has very high and wide halls, forming sequences of spaces that take to greater depths.*

*They are, all together, seven halls in an area that comprises 650 square meters.*

**40/46 Congonhas, Minas Gerais**

Congonhas é uma das cidades do ciclo do ouro com maior representatividade da obra de Antonio Francisco Lisboa – o Aleijadinho –, com os doze profetas em pedra-sabão e as figuras dos passos da Via Crucis, realizados entre 1796-1799.

Antonio Francisco Lisboa – o Aleijadinho –, mestiço de arquiteto português e negra escrava, deformado pela lepra, trabalhou como mestre de obras e entalhador. Seus doze profetas feitos em pedra-sabão estão na entrada da Igreja Bom Jesus do Matosinho. Cada profeta segura uma cartela com uma sentença latina. As estátuas dos profetas foram esculpidas entre 1800 e 1805. Aleijadinho nunca saiu de Minas Gerais, exceto uma vez quando veio ao Rio de Janeiro, se inspirando e recebendo influências de origens diversas pelo conhecimento que ia absorvendo do mundo através de textos e ilustrações, o que se reflete em suas obras.

Aleijadinho beirava os cinquenta anos quando sobre ele se abateu uma doença devastadora que hoje calcula-se tenha sido a lepra nervosa, tendo trabalhado com o cinzel amarrado no que lhe restava das mãos. Tendo sido reconhecido e famoso em sua própria época, foi bastante disputado pelas igrejas para a confecção de estátuas.

**47/52 Brasília, Distrito Federal**

Cidade planejada e projetada por Lúcio Costa, tendo Oscar Niemeyer elaborado seu plano arquitetônico, Brasília é inaugurada em 21 de abril de 1960 e passa a ser o novo Distrito Federal do país, onde se instalam os Três Poderes, o Senado, a Esplanada dos Ministérios e o Palácio da Alvorada, residência oficial do Presidente. Planejada para somente quinhentos mil habitantes, Brasília vê sua população crescer e se agrupar em várias "cidades-satélites" que, ao longo dos anos, foram sendo criadas para receber seu excedente populacional.

Em 1987, Brasília é tombada pela Unesco e registrada como Patrimônio

**40/46 Congonhas, Minas Gerais**

*Congonhas is one of the golden cycle cities with greater representation of Antonio Francisco Lisboa's work – the "Aleijadinho" (the Crippled) –, with twelve prophets sculptured in soapstone and the images of the steps of the Via Crucis, made between 1796-1799.*

*Antonio Francisco Lisboa – the "Aleijadinho" – mestizo of a Portuguese architect father and a black slave mother, deformed by leprosy, worked as a construction foreman and ripping chisel sculptor. His twelve prophets made of soapstone are at the Bom Jesus do Matosinho Church chamber. Each prophet holds an inscription with a Latin sentence. The statues of the prophets were sculpted between 1800 and 1805. "Aleijadinho" had never left Minas Gerais, except once when he went to Rio de Janeiro, being inspired and influenced by the knowledge which he was absorbing from different roots of the world through texts and illustrations, which are reflected in his works.*

*"Aleijadinho" was near his fifties when a devastating illness came over him, which today is thought to be a nervous leprosy, making him work afterwards with the chisel tided on what was left of his hands. Having been recognized and famous in his own time, he was much requested by the churches for the confection of statues.*

**47/52 Brasilia, Federal District**

*A city planned and designed by Lucio Costa, with Oscar Niemeyer having elaborated its architectonic plan, Brasilia is inaugurated on April 21, 1960 and becomes the Federal District of the Country, where the Three Powers are installed, the Senate, the Ministerial Palace and the Alvorada Palace, the official residence of the President. Planned to have only 500 thousand inhabitants, Brasilia sees its population grow in many "satellite cities" which, over the years, were being created to receive its populational growth.*

*In 1987, Brasilia is registered by Unesco as a Historical and Cultural*

Histórico e Cultural da Humanidade.

Hoje, Brasília e suas cidades-satélites detêm uma população de mais ou menos dois milhões de habitantes.

## 53/62 Salvador, Bahia

Salvador, fundada em 1549, foi a primeira capital do Brasil, devido à sua localização estratégica na costa brasileira. Na época do Brasil Colônia a Bahia produzia açúcar, produto lucrativo para ser comercializado. Devido à riqueza acumulada na capital, Salvador, pôde se produzir uma renovação artística em que influências portuguesas e italianas eram sentidas. O antigo e o novo, o barroco e o clássico, o religioso e o profano se misturam fazendo com que velhos sobrados e ruas estreitas e tortuosas convivam com uma moderna arquitetura, sem contar as inúmeras igrejas que povoam o território baiano.

A cidade de Salvador se divide em duas partes: a Cidade Baixa, considerada a parte antiga, e a Cidade Alta, mais recente. Várias ladeiras também ligam as duas partes da cidade além do mundialmente conhecido Elevador Lacerda. Inaugurado em 1868 e reestruturado em 1928, o Elevador Lacerda permite que elevadores façam o trajeto vertical de oitenta e cinco metros ligando a Cidade Alta à Baixa em 15 segundos, podendo transportar mais de cinquenta mil passageiros em um único dia.

A Igreja de São Francisco é a mais célebre igreja da Bahia, de renome mundial. Pertencendo ao convento dos franciscanos, tem suas paredes internas totalmente decoradas com talhos dourados, possivelmente devido à grande extração de ouro na Colônia. Em seu interior, uma luz dourada clareia o ambiente. Preciosos azulejos portugueses do século XVII embelezam ainda mais as fachadas internas do Convento e da Igreja de São Francisco. Os azulejos portugueses são uma expressão do colonialismo no Brasil. Esse elemento arquitetônico pode ser encontrado em todas as cidades ao longo do Amazonas, mas os mais belos são encontrados em São Luís do Maranhão.

A Bahia transpira uma identidade cultural característica onde as raízes

*World Heritage.*

*Today, Brasilia and its satellite cities have a population of approximately two million inhabitants.*

## 53/62 *Salvador, Bahia*

*Salvador, founded in 1549, was the first capital of Brazil, due to its strategic location at the Brazilian coast. At the time of the Brazil Colony, Bahia produced sugar, a profitable product to be traded. Due to the riches accumulated in the capital, Salvador, an artistic reform was possible of being made where Portuguese and Italian influences were felt. The old and the new, the baroque and the classic, the religious and the profane mingle making old two-storage houses and narrow and tortuous streets to live together with a modern architecture, not considering the several churches that populate Bahia's native territory.*

*The city of Salvador is divided in two sections: the Low City, considered the old part and the High City, the newer part. Several steep streets also unite the two city sections, besides the worldwide known Lacerda Elevator. Inaugurated in 1868 and restructured in 1928, the Lacerda Elevator allows for elevator cabins to make the vertical route of eighty-five meters, uniting the High and the Low Cities, in fifteen seconds. It can transport over fifty thousand passengers in only one day.*

*The São Francisco Church is the most renowned church of Bahia, known worldwide. Belonging to the Franciscans convent, it has its internal walls totally ornamented with golden carvings, which was possible due to the large gold extraction in the Colony. Inside, a golden light illuminates the environment. Precious 17th century Portuguese glazed tiles beautifies even more the internal walls of the Convent and of the São Francisco Church. The Portuguese glazed tiles are an expression of Brazil's colonialism. This architectonic element can be found in every city along the Amazon, but the most beautiful ones are found in São Luis, Maranhao. Bahia transpires a characteristic cultural identity where the African and Brazilian roots mingle. The native symbol ("baiana"), with her clothes,*

africanas e brasileiras se misturam. A figura da baiana, com suas vestes, guias religiosas e seus quitutes apimentados, é marca presente da influência do negro trazido da África em tempos coloniais.

Pode-se sentir essa presença também no Pelourinho, situado na parte mais alta da cidade, a parte mais velha c fascinante de Salvador. Tombado como Patrimônio da Humanidade em 1985 pela Unesco, no Largo do Pelourinho elevava-se o tronco onde os negros escravos eram castigados. O Pelourinho, com letra maiúscula, é erguido para que os senhores de engcnho pudessem castigar seus escravos publicamente, reforçando seu poder. Ficou o nome, Pelourinho, para demarcar toda a área do conjunto arquitetônico barroco-português que fica entre o Terreiro de Jesus e a Igreja do Passo. É o maior conjunto colonial barroco da América Latina.

## 63/68 Pantanal, Mato Grosso do Sul

O Pantanal é a maior reserva ecológica do mundo e, pela Constituição de 1988, Patrimônio Nacional. Situado em uma enorme depressão que se estende na direção norte-sul de Cáceres (MT) a Porto Murtinho (MS), compreende uma área de aproximadamente 140.000 km2, onde caberiam juntos Portugal, Áustria, Bélgica e Hungria, tamanha sua extensão.

Superfície banhada por centenas de rios que nascem nos planaltos adjacentes, se divide cm duas áreas: o Alto Pantanal, onde não chegam as águas das enchentes periódicas, e o Baixo Pantanal, planície sujeita às inundações cíclicas.

Os ribeirinhos, moradores que vivem à margem dos maiores rios, moram em palafitas, para se defender das águas que sobem como acontece na região chamada Baixo Pantanal, planície que se cobre de água devido às enchentes periódicas.

A fauna do Pantanal é muito rica, podendo-se citar grande variedade de aves, além dos conhecidos jacarés e piranhas.

*religious guides and hot spicy delicacies are present characteristics of the blacks brought from Africa in colonial times.*

*This presence can also be felt at the Pillory, situated at the highest part of the city, the oldest and more fascinating site of Salvador. Registered as a World Heritage by Unesco in 1985, at the Pillory Square stood the stalk where the black slaves were punished. The Pillory, with capital letters, is raised in order for the sugar-cane plantation lords could publicly punish their slaves, renewing their power. The name "Pelourinho" (Pillory) stood to mark all the Portuguese-baroque architectonic area that is located between the "Terreiro de Jesus" (Jesus Square) and the Passo Church. It is the largest colonial baroque area of the Latin America.*

## 63/68 *Pantanal, Mato Grosso do Sul*

*Pantanal is the largest ecological reserve area of the world and, by the 1988 Constitution, a National Heritage. Situated at an enormous depression which is extended at the north-south direction from Caceres (MT) to Porto Murtinho (MS), comprising an area of approximately 140,000 square km, where, due to its large extension, Portugal, Austria, Belgium and Hungary could all fit together.*

*A surface bathed by hundreds of rivers which are born at the adjacent plateaus, it is divided into two areas: the High Pantanal, where the water of the periodic floods do not approach and the Low Pantanal, a prairie subject to the cyclic floods.*

*The riparian, inhabitants that live at the margins of the bigger rivers, live in palafitte, to defend themselves from the water that rise, as it happens in the region called Low Pantanal, a prairie that is covered by the water due to the periodic floods.*

*Pantanal's fauna is very rich allowing to quote a great variety of birds, besides the already known alligators and piranhas.*

## 69/81 *Manaus, Amazon*

*Situated at the Black River's left margin, Manaus is*

**Manaus, Amazonas**

Situada à margem esquerda do Rio Negro, Manaus é fundada em 1669, levando o nome que tem hoje apenas em 1833. Com o ciclo da borracha, Manaus se transforma aumentando sua população e gozando de uma prosperidade antes nunca vista, quando grandes obras públicas são iniciadas, dentre as quais o Teatro Amazonas, inaugurado em 1896 com a apresentação da Companhia Lyrica Italiana.

A esse próspero período se segue uma fase de total abandono e declínio devido à queda do valor da borracha no mercado internacional.

Manaus volta a se desenvolver com a criação da Zona Franca e a implantação de seu Distrito Industrial, impulsionados pelo Governo. Grandes multinacionais se desenvolvem, sendo favorecidas pela isenção de impostos sobre a importação: fabricando seus produtos empregando matéria-prima e componentes brasileiros. Manaus tem um clima quente e úmido, onde apenas duas estações se sobressaem: o inverno, na estação das chuvas, e o verão, também chamado de estiagem, durante o resto do período. Manaus têm seus próprios cartões-postais, além de contar com uma beleza natural e uma fauna e flora ricas em variedades e cores. O Conjunto Arquitetônico do Porto de Manaus, por exemplo, tombado pelo Patrimônio Histórico Nacional em 1987; o Palácio Rio Negro, construído no final do século XIX, também tombado pelo Patrimônio Estadual em 1980 e que hoje abriga o Centro Cultural Palácio Rio Negro, e o Mercado Municipal. O Mercado Municipal foi construído de frente para o Rio Negro, em estilo art nouveau, sendo o segundo a ser montado no Brasil, oficialmente inaugurado em 1882. O mercado funciona até hoje como um centro de comercialização de produtos da própria região e de outras regiões do país.

**82** **Encontro das águas do Rio Negro com as águas do Rio Solimões, Amazonas**

Rios de água negra se originam nas encostas montanhosas do planalto

*founded in 1669, receiving the name known today only in 1833. With the rubber cycle, Manaus transforms itself, increasing its population and enjoying a prosperity never seen before when great public works are begun. Among them, the Amazon Theater, inaugurated in 1896 with the presentation of the Italian Lyric Company.*

*After this prosperous period, follows a total abandonment and decline phase due to the fall of rubber prices in the international market.*

*Manaus restarts to flourish again with the creation of a Duty Free Zone and the Industrial District implementation, stimulated by the Government. Large multinationals developed, being benefited through import taxes exemption: manufacturing its products, using Brazilian raw-materials and components.*

*Manaus has a hot and humid climate, where only two seasons are prominent: the winter, rainy season, and the summer, for the rest of the period, also called dry weather.*

*Manaus has its own post cards besides a natural beauty and a fauna and flora rich in diversities and colors. The Architectonic Area of the Port of Manaus, for example, registered by the National Historical Heritage in 1987; the Black River Palace, built at the end of the 19th century, also registered by the State Heritage in 1980, and which today shelters the Black River Palace Cultural Center and the Municipal Market.*

*The Municipal Building was built facing the Black River, in "art nouveau" style, being the second to be constructed in Brazil, officially inaugurated in 1882. The market functions until today as a commerce center for products of its own region and from other regions of the country.*

**82** **Encounter of waters from the Negro River with the water of Solimoes River, Amazon**

*Rivers of black waters originate from the hillside of the Guianas plateau or from the Brazilian central plateau, where crystal rocks prevail. These rivers carry clear water until the black, the truly black water river,*

guiano ou do planalto central brasileiro, onde predominam rochas cristalinas. Esses rios carregam água límpida (rios de água clara) até a negra, os verdadeiros rios de água negra, sempre pobres em nutrientes. Rios de água negra e rios de água amarela se encontram na Amazônia. Esse é o caso do Rio Negro com o Rio Solimões. Quando os rios de água negra desembocam nos de água amarela, as águas não se misturam de imediato. Assim, por longas distâncias (dez a trinta quilômetros) um rio é de um lado amarelo e de outro, negro. As águas do Solimões e do Negro só se misturam depois de 20 a 40 km do encontro.

## 83/99 Floresta Amazônica, Amazonas

Aproximadamente 67% de sua área pertence ao Brasil, sendo o restante distribuído entre a Venezuela, Suriname, Guianas, Bolívia, Colombia, Peru e Equador. Sua formação vegetal é dividida em três tipos principais de mata: o igapó (área que é inundada constantemente), as várzeas (inundadas apenas nos períodos de cheia) e a mata de terra firme.

Uma diversidade de rios cruza a floresta. Entre os mais conhecidos, o Rio Negro, o Rio Solimões, Madeira e Amazonas e o Rio Tapajós. Essa grande variedade de rios que cruzam a floresta servem como verdadeiras "estradas de água" para os índios se locomoverem.

Há atualmente 170 grupos culturais indígenas vivendo hoje na floresta Amazônica, remanescentes de uma população de 7 milhões que hoje se vêm reduzidos a 200 mil.

Embora acreditem que a Floresta Amazônica seja o pulmão do mundo, isso não é de fato verdade pois todo o oxigênio produzido é praticamente consumido pela própria floresta.

Mais de 25 mil espécies de plantas e borboletas podem ser encontradas na floresta. Nos rios amazônicos vive o maior número de peixes no mundo. Uma rica e diversa fauna se faz presente também. O bicho-preguiça, por exemplo, é um dos bichos mais interessantes encontrados na floresta. Com o costume de dormir de 14 a 16 horas por dia, o bicho-preguiça pode girar a cabeça 270 graus sem mover

*always poor in nutrients. Black and yellow water rivers meet at the Amazon. This is the case of the Negro River with the Solimoes River. When the black water rivers disembogue into the yellow water, the waters do not mix immediately. Then, for long distances (ten to thirty kilometers) one river runs yellow on one side and black on the other. The waters of the Solimoes and Negro Rivers mix only after 20 to 40 km of the encounter.*

## 83/99 Amazon Forest, Amazon

*Approximately, 67% of its area belongs to Brazil, with the remaining area being distributed among Venezuela, Suriname, the Guianas, Bolivia, Colombia, Peru and Ecuador. Its vegetal formation is divided into three main types of forest: the igapo (Amazonian constantly flooded land), the meadow (flooded only on raining season) and the native land forest.*

*A diversity of rivers cross the forest. Among the well known, the Negro River, the Solimoes River, Madeira and Amazon and the Tapajos River. This great variety of rivers that cross the forest serve as true "water ways" for the Indians' transportation.*

*There are 170 cultural Indian groups living today in the Amazon forest, reminiscent from a population of 7 million, which today are reduced to 200 thousand. Although it is believed that the Amazon Forest is the world's lung, this is not actually true, because all produced oxygen is practically consumed by the forest itself.*

*Over 25,000 species of plants and butterflies could be found in the forest. In the Amazonian rivers, the biggest number of the world's fishes are living.*

*A rich and diversified fauna is also present. The sloth, for example, is one of the most interesting animals found in the forest. Used to sleeping from 14 to 16 hours a day, the sloth can turn his head 270 degrees without moving the rest of its body. It is near 50 to 70 centimeters high and weighs between 3.5 to 5.0 kg when an adult.*

*One of the Amazon Forest's symbol, the victoria regia, grows in the*

o resto do corpo. Mede cerca de 50 a 70 cm e pesa entre 3,5 a 5,0 kg quando adulto.

Um dos símbolos da Floresta Amazônica, a vitória-régia cresce nas várzeas banhadas pelos rios de águas brancas e nas lagoas adjacentes. Apesar de muitos acreditarem que a vitória-régia é uma folha, na realidade ela é a maior flor do mundo, algumas chegando a alcançar até dois metros de diâmetro.

## 100 Serra Pelada, Pará

O ouro de Serra Pelada foi descoberto por acaso, por um grupo de garimpeiros, no início de 1980. E agora, nessa mina que fica a cerca de quinhentos quilômetros de Belém, trabalham mais de vinte mil pessoas. À volta da mina formou-se uma gigantesca favela, com as cabanas cobertas de plástico e onde os trabalhadores moram, cozinham e dormem. Serra Pelada, por ser um empreendimento controlado pelo Governo, tem suas leis de segurança cumpridas severamente: são proibidas as vendas de bebidas alcoólicas, o porte de armas e a permanência de mulheres no local. A mina se transforma em um funil que se estreita de 300 para 200 metros com uma profundidade de mais de cem metros.

O principal grupo de garimpeiros é o dos carregadores. Transportam, o dia inteiro, sacos de 30 quilos de terra que contêm ouro, do barraco do seu patrão, passando pelas escadarias, até o posto de lavagem que, muitas vezes, está a mais de um quilômetro de distância.

## 101/108 Belém, Pará

Belém está situada ao sul da foz do Amazonas e da Ilha de Marajó. Desde tempos históricos é o verdadeiro portão de entrada da Amazônia, sendo porto de importância capital.

Uma fortificação à margem do rio é o centro histórico da cidade: bem ao lado dele ficam o velho porto e o mercado, que tem o sugestivo nome de Ver-o-Peso.

O Mercado Ver-o-Peso teve sua edificação de ferro inspirada por Eiffel,

meadows bathed by the clear water rivers and the adjacent lagoons. Even though it is believed that the victoria regia is a leaf, in reality it is the biggest flower in the world, some reaching up to two meters in diameter.

## 100 Serra Pelada, Para

Serra Pelada's gold was discovered accidentally, by a prospecting group, in the beginning of 1980. And presently, in this mine which is located about five hundred kilometers from Belem, there are twenty thousand people working.

A gigantic slum was formed around the mine, with the tents covered by plastic sheets, where the workers live, cook and sleep.

Serra Pelada, being a project controlled by the Government, has its security laws severely enforced: it is prohibited to sell alcoholic beverages, the use of guns and for women to remain at the site. The mine is transformed into a funnel, which narrows from 300 to 200 meters with a depth of over one hundred meters.

The main prospecting group is that of the carriers. They transport during the hole day, 30 kilos of soil bags which contain gold, from their boss' tent, going through stairs, to the washing station which, many times, is located over one kilometer away.

## 101/108 Belem, Para

Belem is located at the south of the Amazon mouth and of the Marajo Island. Since historical times, it is the true entrance gate to the Amazon, being a port of capital importance.

A fortification at the river margin is the city's historical center: right beside it is the old port and the market, which have the suggesting name of Ver-o-Peso (See-the-Weight).

The See-the-Weight Market had its iron structure inspired by Eiffel, in an elegant "art-nouveau" style. It is one of the best architectonic constructions of that time. At the See-the-Weight Market, the products of the region are sold. In fact, products from all of the East Amazon are

em elegante estilo art-nouveau. É uma das melhores construções arquitetônicas da época. No Mercado Ver-o-Peso são vendidos os produtos da região; na verdade, os produtos de todo o leste amazônico. Frutas de todos os tipos, legumes, peixes, temperos com nomes exóticos, ervas e raízes medicinais, peças de artesanato em borracha e juta, além de animais vivos como galinhas, araras, periquitos e macacos.

No Porto de Belém, produtos de toda a Amazônia são transladados: peixe, castanha-do-pará, farinha de mandioca... Belém, a metrópole do Baixo Amazonas, também teve sua rica época com o comércio da borracha, tendo palácios, igrejas e um teatro sido construídos com uma inigualável beleza na época.

### 109 Estrada Recife-Aracaju, Pernambuco
Essa estrada liga a capital de Pernambuco – Recife – à capital de Sergipe – Aracaju –, cidade histórica.
Estradas ainda por serem pavimentadas e asfaltadas são comuns cruzando a imensa área que compreende o território brasileiro, ligando os centros turísticos e urbanos. Grandes distâncias são percorridas através de terrenos pouco explorados e ainda agrestes e selvagens.

### 110 Louva-a-Deus
O Louva-a-Deus é um incrível inseto que tem um corpo largo e pernas dianteiras maiores, mantidas em posição de prece, como se estivesse rezando. O Louva-a-Deus usa essas pernas para apanhar e segurar a presa, que rapidamente é desmembrada e devorada.
Sua cabeça é triangular, com grandes e bem desenvolvidos olhos que se localizam separadamente favorecendo uma melhor visão binocular. Apesar de suas asas serem bem desenvolvidas, elas normalmente permanecem quietas em seu lugar aguardando a hora do bote em alguma presa distraída, sendo capaz de apanhar um inseto do mesmo tamanho que ele próprio. O Louva-a-Deus é um importante inseto predador que ajuda no controle de algumas infestações de insetos nos campos ou jardins. Apesar de sozinho não ser capaz de controlar totalmente uma

*also sold there. All kinds of fruits, vegetables, fish, exotic named spices, herbs and medical roots, rubber and jute hand-made pieces, besides alive animals such as chicken, araras, love-birds and monkeys.*
*At Belem's Port, products from all Amazon are traded: fish, Brazil nuts, manioc-flour... Belem, the Low Amazon metropolis, also had its time of riches with the rubber commerce, having palaces, churches and a theater being built with an unique beauty at the time.*

### 109 *Recife-Aracaju Highway, Pernambuco*
*This highway connects Pernambuco's capital – Recife – to Sergipe's capital – Aracaju –, historical city.*
*Highways yet to be paved and to receive asphalt are common crossing the huge area which comprises the Brazilian territory, connecting the tourist and urban centers. Large distances are covered through barely explored and still rough and wild lands.*

### 110 *"Louva-a-Deus" – Praying Mantis*
*The Praying Mantis is an incredible insect that has a large body and longer front legs, kept in a praying position, as if it was praying. The Praying Mantis uses its legs to catch and hold the prisoner, which is quickly dismembered and devoured.*
*Its head is triangular with big and well-developed eyes which are located separately, benefiting a better binocular vision. Although its wings are well developed, they usually stay still in its place, waiting for the time to attack a distracted prisoner, being capable of catching an insect of its own size.*
*The Praying Mantis is an important predator insect which helps in the control of some insect infestations of fields and gardens. Although by themselves they are not capable of totally controlling a plague infestation, it is the only predator which feeds itself at night with moth, and is sufficiently fast to hunt mosquitoes and flies.*

infestação de pragas, é o único predador que se alimenta à noite de traças e é rápido o suficiente para caçar mosquitos e moscas.

## 111 Igreja Nossa Senhora do Carmo – Recife, Pernambuco

Arquitetonicamente essa Igreja traz uma novidade: uma única nave em forma de salão.

Construída no final do século XVII, teve como arquiteto o português Antonio Fernandes de Matos, que faleceu em 1701, sendo a Igreja concluída apenas em 1767.

## 112 São Luís, Maranhão

Quando o Rei João III de Portugal dividiu o Brasil em Capitanias Hereditárias em 1535, deu a Capitania do Maranhão ao tesoureiro e historiador João de Barros. Ao longo de 30 anos João de Barros tenta colonizar e povoar a Capitania, mas sem ajuda oficial e conhecimento de rotas marítimas que favoreceriam o intercâmbio de sua Capitania com o resto do Brasil, a costa do Norte é levada ao abandono.

Em 1612, no entanto, uma expedição francesa se apossa de São Luís e funda uma França Equinocial em terras brasileiras, construindo um Forte e uma Vila de São Luís, que leva este nome em homenagem ao rei-santo, Luís XIII. Em 1615 o Maranhão é reconquistado pelos portugueses de Pernambuco, mas a influência européia sofrida se manifesta ainda hoje pela conservação de maior extensão de arquitetura civil de origem européia no país.

## 113/114 Florianópolis, Santa Catarina

Os primeiros habitantes de Florianópolis foram os índios tupi-guaranis, cuja presença pode ser encontrada nos sambaquis e sítios arqueológicos cujos registros mais antigos datam de 4800 a.C. Somente a partir de 1679 tem início a povoação da ilha com a fundação da cidade de Nossa Senhora do Desterro – atual Florianópolis. A partir de então intensifica-se o movimento de paulistas

## 111 Nossa Senhora do Carmo Church – Recife, Pernambuco

*This Church has an unique architectonic curiosity: it has only one nave in chamber format.*

*Built at the end of the 17th century, it had as architect the Portuguese Antonio Fernandes de Matos, who died in 1701. The church was only concluded in 1767.*

## 112 São Luís, Maranhao

*When King Joao III of Portugal divided Brazil into Captaincies in 1535, he gave the Maranhao Captaincy to the treasurer and historian Joao de Barros. During 30 years, Joao de Barros tries to colonize and populate the Captaincy, but without the official help and the knowledge of marine routes, that could benefit the interchange of his Captaincy with the rest of Brazil, the North coast is left to abandonment.*

*In 1612, however, a French expedition takes over São Luis and founds an Equinoctial France in Brazilian grounds, building a Fort and a São Luis Village which takes this name in honor of the saint-king, Louis XIII. In 1615, Maranhao is re-conquered by the Portuguese of Pernambuco, but the European influence is still shown today on the preservation of the largest extension of the country's European origin civil architecture.*

## 113/114 Florianopolis, Santa Catarina

*The first inhabitants of Florianopolis were the tupi-guarani Indians whose presence could be found in the coquinas and archeological farms whose oldest registers are dated 4800 BC. Only from 1679 the settlement of the island takes place with the foundation of the Nossa Senhora do Desterro's city – at the present, Florianopolis. Afterwards, the "paulista" (natives of Sao Paulo) and "vicentista" (natives of Sao Vicente) movement is intensified towards the occupation of several other points of the coast. In 1726, Nossa Senhora do Desterro is upgraded to a village*

e vicentistas a ocupar vários outros pontos do litoral.

Em 1726, Nossa Senhora do Desterro é elevada à categoria de vila. Com o advento da República – 1889 – as resistências locais ao novo governo provocaram um distanciamento do governo central e a diminuição dos seus investimentos. Marechal Floriano Peixoto vence comandando as tropas militares, determinando a mudança do nome da cidade para Florianópolis, em 1894, em sua homenagem.

## 115/118 Blumenau, Santa Catarina

Em 2 de setembro de 1850 chegam 17 colonos ao local onde se ergue a cidade de Blumenau. Toda a região era habitada por silvícolas das tribos Kaigangs, Xoklengs e Botocudos. O filósofo alemão Dr. Hermann Bruno Otto Blumenau, de posse de uma área de terra, vem estabelecer uma colônia agrícola, com imigrantes europeus. Enfrentando dificuldades financeiras, em 1860 Dr. Blumenau consegue que o Governo Imperial encampe seu empreendimento e em 1880 a colônia é elevada à categoria de município.

Em poucos anos Dr. Blumenau consegue transformar sua colônia em um centro agrícola e industrial de importância e influência na economia do país. Inicialmente colonizada por alemães, seguidos de italianos e poloneses, as cidades da região incorporaram a cultura alemã e a italiana, principalmente. Em 1886 o município foi elevado a Comarca e, em 1928, sua sede passou à categoria de cidade.

## 119/120 Treze Tílias, Santa Catarina

Fundada em 1893, por um grupo de imigrantes austríacos, Treze Tílias tem sua economia baseada na agricultura e na pecuária, principalmente na produção de leite. É a segunda maior bacia leiteira do estado.

O artesanato é forte na região, realçando-se as culturas de madeira, produzidas com o uso de técnicas trazidas por seus antepassados da Áustria.

category.

*With the advent of the Republic – 1889 – the local resistance to the new government caused a distance to the central government and the decrease of investments. Marshal Floriano Peixoto wins, commanding the military troops, determining in 1894 the change of the city's name to Florianopolis, in his honor.*

## 115/118 Blumenau, Santa Catarina

*On September 2, 1850, 17 colonists arrive to the location where the city of Blumenau arises. The whole region was inhabited by the foresters of the Kaigangs, Xoklengs and Botocudos tribes. The German philosopher Dr. Hermann Bruno Otto Blumenau, by the appropriation of an area, established an agricultural colony with Europeans immigrants. Facing financial difficulties in 1860, Dr. Blumenau is able to cause the Imperial Government to encamp his project and in 1880 the colony is upgraded to the category of a municipal district.*

*In a few years Dr. Blumenau manages to transform his colony in an agricultural and industrial center of importance and influence in the country's economy. Colonized in the beginning by the Germans, followed by the Italians and Polish, the surrounding cities incorporated especially the German and Italian cultures. In 1886 the municipal district was upgraded to a County and, in 1928, it became a city.*

## 119/120 Treze Tilias (Thirteen Tilias), Santa Catarina

*Founded in 1893, by a group of Austrian immigrants, Treze Tilias (Thirteen Tilias) has its economy based in the agriculture and in cattle breeding, especially in the production of milk. It is the second largest milk basin in the state.*

*Workmanship is strong in the region, with emphasis to the wood sculptures, produced with techniques brought by their Austrian ancestors.*

## 121/131 Estado do Rio Grande do Sul

O Rio Grande do Sul é uma verdadeira mistura de climas, relevos, línguas (espanhol com o português), de paisagens, climas frio e temperado com o litoral.

Marcado por grandes fazendas e extensões de terra, o Rio Grande do Sul transmite sua cultura à figura do gaúcho, que traz em seu chimarrão, bombachas, poncho, lenço no pescoço e chapéu as marcas de uma cultura que mescla povos e pensamentos. Traços culturais do gaúcho envolvem a tradição do churrasco de chão temperado apenas com sal grosso, o mate amargo, o rodeio e o fandango.

Muitas cidades turísticas têm atrativos diferentes e histórias características. São Miguel das Missões, por exemplo, traz sua história contada por suas ruínas e riquezas arqueológicas. Fundada por jesuítas em 1687, nos históricos Sete Povos das Missões, tem sua decadência em 1767, quando os padres jesuítas são definitivamente expulsos do continente americano. Apenas em 1801 o território missioneiro é tomado por forças portuguesas das mãos dos espanhóis, fazendo com que a partir de 1825 comecem a chegar imigrantes europeus que irão formar o povo gaúcho com suas influências e características européias.

Canela já é uma floresta de pinheiros de araucária que tem seu progresso iniciado devido aos grandes e numerosos madeireiros que aí se instalaram.

Com o início das atividades industriais, Canela passa a ser passagem obrigatória entre os Campos de Cima da Serra e a capital do Estado, o que leva mais tarde a uma exploração turística. A origem do nome da cidade vem de uma Caneleira, árvore sob a qual os tropeiros descansavam e faziam suas pousadas.

## 132/139 Cataratas do Iguaçu, Paraná

Iguaçu significa "água grande" em tupi-guarani, o que bem define o fenômeno das cataratas onde o rio Iguaçu chega ao fim de seu caminho. O rio nasce na Serra do Mar e percorre 1.320 km até a foz, desaguando no rio Paraná em uma queda de 72

## 121/131 Rio Grande do Sul State

*Rio Grande do Sul is a true mix of climates, relief, languages (Spanish with the Portuguese), landscape, cold weather and tempered with the coast.*

*Marked by large farms and land extension, Rio Grande do Sul transmits its culture to the "gaucho" (native of that state) character which brings in his "chimarrao" (unsweetened mate), his "bombacha" (loose-fitting riding pants which are buttoned at the ankle), poncho, neckerchief and hat, marks of a culture that mingles people and thoughts. The cultural traces of the Gaucho involves the tradition of soil barbecued beef seasoned only with bay salt, the bitter mate, the rodeo and the fandango.*

*Many tourist cities have different attractions and characteristic histories. Sao Miguel das Missoes, for example, brings its history told through its ruins and archeological riches. Founded by Jesuits in 1687, in the historic Sete Povos das Missoes (Seven People Mission), it has its decay in 1767, when the Jesuit Priests are definitely expelled from the American continent. Only in 1801 the missionary territory is taken by Portuguese forces from the Spanish hands, causing, as of 1825, the arrival of the European immigrants that will form the "gaucho" people with his European influences and characteristics.*

*Canela is already an araucaria pine forest (Brazilian pine), which has its progress started thanks to the great and numerous lumber dealers which installed themselves there. With the beginning of the industrial activities, Canela becomes an obligatory passage between the Campos de Cima da Serra and the State Capital, which later leads to a tourist exploration. The origin of the city's name comes after a Cinnamon Tree ("Caneleira") under which the cattle drivers used to rest and make their lodge.*

## 132/139 Iguaçu Falls, Parana

*"Iguaçu" means "big water", in tupi-guarani, which well defines the phenomenon of the falls where the Iguaçu river comes to the end of its course. The river is born at the Serra do Mar (Sea Ridge) and covers 1,320 kilometers to the falls, discharging into*

metros de altura. As Cataratas compreendem 2.700 metros de extensão. São 275 quedas isoladas, formando uma frente única em tempo de cheia. Dezenove grandes saltos se apresentam – a maior parte deles voltada para o Brasil.

As Cataratas do Iguaçu encontram-se protegidas pelos dois Parques Nacionais do Iguaçu (Brasil e Argentina), incluídos em 1986 na lista da Unesco como Patrimônio Natural da Humanidade.

Localizado no extremo oeste do Paraná, o Parque faz fronteira com o território argentino, abrangendo 185.000 ha.

Criado em 10 de janeiro de 1939 e tombado em 1986, se constitui em uma das maiores reservas florestais da América do Sul, apresentando uma fauna bastante representativa, como onça-pintada, anta, capivara, veado, guaxinim, macaco-prego, quati e jacaré-do-papo-amarelo e uma superpopulação de borboletas de variadas cores.

## 140/141    Usina de Itaipu, Paraná

Localizada a dez quilômetros do centro de Foz do Iguaçu, a Central Hidrelétrica de Itaipu é uma realização de duas nações: Brasil e Paraguai.

A palavra Itaipu origina-se do tupi-guarani e quer dizer "a pedra que canta". Uma das maiores construções do homem, a hidrelétrica beneficia todo o território paraguaio e as regiões sul, sudeste e centro-oeste brasileiras. A construção da hidrelétrica – considerada uma das "Sete maravilhas do Mundo Moderno" pela Sociedade Americana de Engenharia Civil – foi iniciada em 1975, tendo sua última unidade geradora sido inaugurada apenas em 6 de maio de 1991.

## 142/149    Cidade de São Paulo, São Paulo

A fundação de São Paulo se mistura ao processo de ocupação e exploração dos portugueses no Brasil, a partir do século XVI.

Em 1533 os colonizadores fundam a Vila de Santo André, na borda do Campo. Um grupo de padres da Companhia de Jesus, entre eles José

---

the Parana river in a 72 meters high falls. The Falls comprise an extension of 2,700 meters. They are 275 isolated falls, forming an unique front during the flood season. Nineteen large falls are present – most of them facing Brazil.

The Iguaçu Falls are protected by the two Iguaçu National Parks (Brazil and Argentina) included in 1986 in the Unesco's list as a Natural World Heritage.

Located at the extreme west of Parana, the Park borders the Argentine territory encompassing 18,000 ha.

Created on January 10, 1939 and registered in 1986, it is constituted in one of the largest forest reserves of South America, presenting a quite representative fauna, such as the jaguar, anta, capybara, deer, "guaxinim", ape ("macaco-prego"), coati and yellow-pappus-alligator and an overpopulation of butterflies of a variety of colors.

## 140/141    Itaipu Hydroelectric Power Station, Parana

Located ten kilometers from the center of the Iguaçu Falls, the Itaipu Hydroelectric Station is an accomplishment of two nations: Brazil and Paraguai.

The word Itaipu has its origin from the tupi-guarani language, meaning "the singing stone".

One of man's largest construction, the hydroelectric benefits the whole Paraguayan territory and the south, southeast and central-west regions of Brazil. The hydroelectric construction – considered one of the "Seven Wonders of the Modern World" by the American Society of Civil Engineering – was started in 1975, having its last generating unit being inaugurated only on May 6, 1991.

## 142/149    City of Sao Paulo, Sao Paulo

The foundation of Sao Paulo mingles to the occupation and exploration processes by the Portuguese in Brazil, starting in the 16th century.

In 1533, the colonists found the Santo Andre Village at the border of the

de Anchieta e Manoel da Nóbrega, fundam o Colégio dos Jesuítas em 1554. A partir daí tem-se o início da construção das primeiras casas de taipa que dariam depois origem ao povoado de São Paulo de Piratininga. Em 1560 o povoado vira Vila e em 1711 a Vila de São Paulo é elevada à categoria de cidade, mas até o século XVIII São Paulo continuará apenas como local de partida das Bandeiras.

Com a independência do Brasil, São Paulo firma-se como capital da província e cria uma Academia de Direito, se convertendo em importante núcleo de atividades políticas e intelectuais.

Com a expansão da lavoura cafeeira em várias regiões paulistas, da construção da estrada de ferro Santos-Jundiaí e da chegada de imigrantes, São Paulo sofre grande expansão e desenvolvimento. Surgem as primeiras linhas de bonde, os reservatórios de água e a iluminação a gás. Forma-se um parque industrial.

Em 1891 é aberta a Avenida Paulista e, em 1892, construído o viaduto do Chá, que promove a ligação do "centro velho" à "cidade nova".

O século XX e a riqueza proporcionada pelo café fazem a cidade crescer velozmente, com trens, bondes, eletricidade, telefone, calçamento, praças, viadutos, parques e os primeiros arranha-céus.

Nos anos 50 o parque industrial de São Paulo começa a se transferir para outros municípios da Região Metropolitana e do interior do Estado, desconcentrando sua atuação. A cidade de São Paulo direciona suas atividades econômicas à prestação de serviços e aos centros empresariais de comércio.

Hoje São Paulo é o estado de maior população, que detém o maior parque industrial, a maior produção econômica e o maior registro de imigrantes do país.

*Field. A group of priests of the Jesus Company, among them Jose de Anchieta and Manoel da Nobrega, found the Jesuit School in 1554. From then on the first mud wall constructions began which would give the origin of the settlement of Sao Paulo of Piratininga.*

*In 1560 the settlement turns into a Village and in 1711 the Village of Sao Paulo is upgraded to the category of a city, but until the 18th century, Sao Paulo will continue to be only a departure place for the colonial exploratory expedition, called "Bandeiras".*

*With Brazil's Independence, Sao Paulo is firmly established as the capital of the province and creates a Law Academy, becoming an important political and intellectual activities center.*

*With the expansion of the coffee plantation in several regions of Sao Paulo, the construction of the Santos-Jundiai railroad and the arrival of the immigrants, São Paulo suffers great expansion and development. The first streetcars, water reservoirs and gas illumination emerge. An industrial park is formed.*

*In 1891 the Paulista Avenue is opened and in 1892, the Cha (tea) viaduct is built, which promotes the connection of the "old center" to the "new city".*

*The 20th century and the riches coming from the coffee made the city to grow quickly with trains, streetcars, electricity, telephone, sidewalks, squares, viaducts, parks and the first skyscrapers.*

*In the fifties, the industrial park of São Paulo begins to be transferred to other districts of the Metropolitan Region and to the interior of the State, decentralizing its operation. The city of São Paulo directs its economic activities to service rendering and to the business trade centers.*

*Today, Sao Paulo is the state with the biggest population, which holds the biggest industrial park, the largest economic production and the largest registration of immigrants in the country.*